六花の勇者

フレミー
Fremy

ナッシェタニア
Nashetania

チャモ
Chamo

ゴルドフ
Goldof

モーラ
Mora

ハンス
Hans

CONTENTS

プロローグ	死地の森	7
一章	出立と二つの出会い	15
二章	六花集結	75
三章	罠と潰走	119
四章	反攻	183
五章	解明の時	269
エピローグ	次なる謎	311

イラスト／宮城

プロローグ
死地の森

伝説は語る。

闇《やみ》の底より魔が目覚め、世界が地獄へ変えられる時。

運命の神は六人の勇者を選び出し、世界を救う力を授けると。

これから語られる物語は、世界を救う定めを背負った勇者たちの物語だ。

彼らの物語を語る上で、一つ重要な点がある。

世界を救うために選ばれるのは、必ず六人であることだ。

五人ではなく七人でもない。必ず六人であることだ。


深い霧《きり》の立ち込めた森の中を、一人の少年が走っている。

赤い長髪をなびかせた年若き剣士だ。

麻《あさ》服の上に軽い革鎧《かわよろい》を着け、頭には鉄の額当《ひたいあ》てを巻いている。やや小ぶりだが頑丈《がんじょう》に拵《こしら》えた剣を右手に握りしめている。

目につくのは腰に巻かれた四本の太い革ベルトだ。ベルトには数十個の小袋がくくりつけられている。

「はあ……はあ……はあ……」

少年は傷ついていた。麻服のそこかしこが破れ、鋭利な切り傷が露《あらわ》になっている。革鎧は焼け焦《こ》げて、両手の皮膚《ひふ》にも火傷《やけど》のあとがある。流れ出た血は、靴を真っ赤に染めていた。並の人間ならとうに倒れている傷だ。

少年の名はアドレット・マイア。十八歳になる。

走りながらアドレットは後ろを振り返った。霧と茂った葉が光を遮《さえぎ》り、森の中は暗い。その薄暗い霧の向こうに、かすかに人影が見えた。

アドレットは追われていた。追手はほんの三十メートルほどのところまで迫っていた。まずい。そう思った瞬間、森の中に声が響き渡った。

「そこですか！」

叫んだのは少女だ。高く柔《やわ》らかいひな鳥のような声だった。

「くっ！」

声が聞こえると同時に、アドレットの足元から刃《やいば》が生《は》えた。長さ三メートルほどの白銀《しろがね》の刃が、何もない地面から突然生えた。先端は正確に、アドレットの心臓部に向いている。

アドレットは逆手《さかて》に持った剣を振るった。剣の柄《つか》に嵌《は》められた石英《せきえい》の飾りが、刃の先端をかろうじて防いだ。アドレットの体は反動で後方に吹き飛び、刃は粉々《こなごな》に砕《くだ》け散った。

後方に転がりながら、剣を地面に突き立てた。腕の力で体を持ち上げ、跳躍《ちょうやく》した。次の瞬間、地面からさらに三本の刃が生えてアドレットを襲《おそ》った。アドレットの体は刃の上すれすれを通りすぎた。

「捕えたの？」

追手の少女が言う。アドレットは着地しながら答えた。

「……甘いぜ。止《とど》めってのは、もっと静かに刺すもんだ」

そう言いながら、また走りだす。追手の姿が霧にまぎれて見えなくなるところまで。

「もっと気張りな！　地上最強の男が、その程度で捕まるかよ！」

「なんてしぶといの！」

少女はなおも追ってくる。走りながらアドレットは、右腕を押さえた。実を言うと、先ほどの攻撃はよけきれていなかった。二の腕が切り裂かれ、血が流れていた。余裕ぶった言葉は、負傷を隠すための精一杯《せいいっぱい》の強がりだ。

走りながらアドレットは、自身の右手の甲《こう》を見た。そこには不思議な紋章《もんしょう》が刻《きざ》まれていた。大きさは赤子《あかご》の掌《てのひら》ほどだ。複雑な装飾が施《ほどこ》された円の中央に、六枚の花弁を持つ花が描かれている。紋章は薄紅色《うすべにいろ》に、ぼんやりと輝いていた。

紋章を見ながら、アドレットは呟《つぶや》いた。

「殺されて、たまるかよ。六花《ろっか》の勇者が、こんなところで殺されてたまるかよ」

アドレットの右手にあるもの。それは俗《ぞく》に、六花の紋章と呼ばれている。

世界を救う定めを背負った、選ばれし勇者の証《あかし》なのだ。


伝説は語る。大陸の西の果ての地に、恐るべき魔物が眠っていると。

その姿は語るにおぞましく、その強さは人知を絶する。その存在目的は、人間を殺害することのみという。ひとたび魔物が眠りから覚めれば、凶魔《きょうま》と呼ばれる数万の配下を従えて大陸を襲い、この世は地獄に変えられる。

その魔物に名前はなく、ただ魔神《まじん》とのみ呼称《こしょう》される。

伝説は語る。魔神が長き眠りから目覚める時、運命の神は六人の勇者を選び出す。選ばれた勇者の体には、花を模《も》した紋章が浮かぶという。

魔神を倒すことができるのは、その選ばれた六人の勇者の他にいない。

アドレット・マイアは六花の勇者に選ばれた。そして魔神を打倒するために旅立った。同じく運命に選ばれた仲間たちと出会い、魔神の眠る地を目指した。

だが、しかし。


「まだ、粘《ねば》るのですか！」

背後から迫る追手の声。足元から襲いかかる刃。アドレットはそれらから、必死に逃げている。

出血で目がかすむ。指先が凍《こご》え、足がもつれる。しかし立ち止まるわけにはいかない。追いつかれれば殺される。

なぜこんなことに、とアドレットは思う。本当なら今頃、魔神の眠る地に攻め込んでいるはずだった。運命に選ばれた仲間たちとともに、立ちはだかる凶魔たちと戦っているはずだった。

しかし今アドレットは、少女に追われ、そして殺されかけている。

「今度こそ！」

少女はアドレットのいる場所に、矢継《やつ》ぎ早《ばや》に攻撃を仕掛けてくる。刃はアドレットの髪の毛をかすめ、鎧《よろい》を切り裂く。

「ぐ！」

正面から迫ってきた刃を、身を伏せてかわす。すぐに立ち上がり走り出す。今度は真下から刃が襲ってくる。横っ飛びに転がって避《よ》ける。

狙《ねら》いは定まっていないが、攻撃は熾烈《しれつ》だ。数十本の刃のうち、一本か二本はアドレットを捕えてしまう。それを避けるたびに、少しずつ差は縮《ちぢ》まっていく。

「！」

左右から二本同時に迫る刃。そのうちの片方が、アドレットの脇腹《わきばら》をえぐった。肋骨《ろっこつ》が切り裂かれる衝撃とともに、体が吹き飛んで地面を転がった。喉《のど》の奥から血が噴《ふ》き出てきた。脇腹を押さえ、アドレットはうずくまる。もう立ち上がることすらできなかった。

すでに追手はアドレットがはっきり見える位置まで近づいている。

「……………やっと捕まえました」

霧の立ち込める木陰《こかげ》から、一人の少女が姿を現した。

華《はな》やかな風貌《ふうぼう》の少女だった。白い鎧に身を包み、手に持った細剣《さいけん》の柄には宝石がちりばめられている。頭には兎《うさぎ》の耳を意匠《いしょう》化した兜《かぶと》をかぶっている。

明るい亜麻色《あまいろ》の髪。大きな赤い瞳《ひとみ》。ふくよかな唇《くちびる》。くっきりとした顔立ちの美少女だ。ただそこに立っているだけで、気高さと品位を感じさせる。身にまとう全《すべ》てが華やかな少女だった。

「………ナッシェタニア」

アドレットは少女の名を呼んだ。

アドレットは知っている。ナッシェタニアの胸元には、アドレットの右手と同じ、六花の紋章があることを。彼女もまた、魔神を倒すために選ばれた六花の勇者であることを。

彼は今、共に闘《たたか》うはずの仲間に殺されかけている。

「……聞け、ナッシェタニア」

「何をですか？」

「……俺はお前の仲間だ」

ナッシェタニアはくすくすと笑った。そして細剣をアドレットに向ける。刃が伸び、アドレットの耳を貫《つらぬ》いた。

「いまさら、何を世迷《よま》い言《ごと》をいっているのです」

ナッシェタニアは笑っている。しかしその目は害虫を見る目つきだった。

「馬鹿《ばか》な人なのですね。降伏《こうふく》して懺悔《ざんげ》をすれば、まだしも楽に死ねますのに」

「懺悔はしねえ。俺は何も悪いことはしちゃいない」

「無駄ですよ。もうわたしは騙《だま》されません」

静かにナッシェタニアはため息をつく。

「あなたはわたしたちを罠《わな》にかけた。わたしたちを欺《あざむ》き、傷つけた。あなたが偽者《にせもの》だということは、もうはっきりとわかっている」

「嘘《うそ》じゃない。騙されているのはお前だ。敵はお前を利用して、俺を殺そうとしているんだ」

その言葉は、ナッシェタニアの耳に届いてはいない。

「俺は仲間を殺してはいない。みんなを罠にかけてもいない」

「先ほども言ったはず。もうあなたには騙されない」

「騙してなんかいない！　聞け、ナッシェタニア！　七人目は俺じゃない！」

ナッシェタニアが握る細剣。その刃が伸びた。刃の先端は、アドレットの心臓に向いている。

「違います。七人目はあなたです」


伝説は語る。

魔神が長き眠りから目覚め、世界が危機に陥《おちい》る時、運命の神は六人の勇者を選び出す。六人の勇者の体には、花を模した紋章が浮かび上がる。

魔神を打倒し、世界を守ることができるのは、六花の勇者の他にはいない。

だがしかし。

六花の紋章を持つ戦士は、七人現れた。

七人全員が間違いなく、本物の紋章を持って現れた。

なぜ一人多いのか。アドレットはその理由を知っている。

七人のうち、誰か一人が敵なのだ。六花の勇者を罠にかけ、殺すために紛《まぎ》れ込んだのだ。

七人現れた勇者の中で、いったい誰が敵なのか。

その答えを、アドレットはまだ知らない。

一章
出立と二つの出会い

三カ月前、アドレット・マイアは大陸の中央に位置する、豊原《ほうげん》の国ピエナにいた。豊原の国ピエナは大陸で最大の国だ。国土、人口、軍事力、そして人々の豊かさ。全《すべ》てにおいて右に出る国は存在しない。王家の権勢は大陸全土に響き渡り、事実上大陸を支配する盟主《めいしゅ》と言っていい。

その時ピエナの王都では、年に一度の神前武闘会《しんぜんぶとうかい》が開かれていた。

世界最大の国が開く武闘会は、当然世界最大の規模だ。出場者はピエナの騎士団や歩兵団の猛者《もさ》をはじめ、周辺各国の代表者、名高い傭兵《ようへい》たち。それに神の力を授かった聖者たち。さらには自由戦士や市井《しせい》の力自慢までもが参加する。

あらゆる人間に門戸《もんこ》が開かれ、出場者は千五百人を超える武闘会。

しかしトーナメント表の中に、アドレット・マイアの名前はなかった。

「準決勝！　西の陣、豊原の国ピエナ所属、王家親衛隊筆頭バトアル・レインホーク！」

闘技場の西側から、頭に白髪《しらが》のまじる老騎士が姿を現す。歓声が場内を包みこんだ。

「東の陣！　深緑の国トマソ所属、赤熊《あかぐま》傭兵団代表、クアト・ガイン！」

対する東からは、熊と見まごう巨漢の戦士が現れる。彼に対する声援も、西の老騎士に引けを取らない。

一カ月にわたるトーナメントも、いよいよ大詰めを迎えている。残る出場者は三人、残る試合は二試合のみだ。闘技場は一万人を超える観客で埋め尽くされていた。

闘技場は、王宮に隣接する神殿の中にある。というよりは、この闘技場こそが運命の神を祭る神殿そのものと言っていい。闘技場の南側正面では一輪《いちりん》の花を持つ女神像が、二人の戦士を温かく見守っている。

「戦士両名へ告ぐ。これは通常の決闘ではない。偉大なるピエナ王の御前《ごぜん》での試合、そして世界と平和を守護する、運命神の御前での試合である。神前の戦いにふさわしい、正々堂々たる戦いを望む」

ピエナ国の宰相《さいしょう》が二人に向かって訓示《くんじ》を述《の》べる。だが二人の戦士は耳を貸さず、火花を散らして睨《にら》み合っていた。彼らを見つめる観客たちも、次第《しだい》に緊張に包まれていく。

今度の大会には特別な意味がある。

この大会の優勝者は六花《ろっか》の勇者に選ばれると、まことしやかに噂《うわさ》されているのだ。

「知っての通りこの試合の勝者は、前回大会の優勝者であらせられるナッシェタニア姫と戦うこととなる。卑劣《ひれつ》な者、臆病者《おくびょうもの》に姫の相手を務める資格はない。両名は一層の……」

ピエナ国宰相の訓示が長々と続いている。その間に起きた静かな異変に、気づいている者は少なかった。

闘技場南側の門から、一人の少年が近づいていた。闘技場を守る衛兵《えいへい》たちも、彼を引き留めようとはしなかった。宰相の背後に控《ひか》える儀仗兵《ぎじょうへい》たちも、視線は向けるが動こうとはしない。観客たちもさして注意を向けていない。彼の態度はあまりに自然で、制止することが間違いのように思えるからだ。

少年は赤毛の長髪を垂《た》らしている。鎧《よろい》も兜《かぶと》もない平服で、木剣《ぼっけん》を背中に差している。腰には四本のベルトをつけ、ベルトには大量の小袋がくくりつけられていた。

少年は二人の戦士の間に割って入る。そして、笑みを浮かべてこう言った。

「失礼するぜ。お二方《ふたかた》」

突然の乱入者に宰相が驚き、怒鳴りつける。

「何者だ！　無礼が過ぎるぞ！」

「俺の名前はアドレット・マイア。地上最強の男だ」

準決勝を戦う二人の戦士が、刺し殺すような視線を少年……アドレット・マイアに向ける。しかしアドレットは気にも留めない。

「試合内容の変更をお知らせするぜ。地上最強の男アドレットと、あんたら二人の戦いだ」

「何者だ貴様！　いかれているのか！」

顔を赤くする宰相を、アドレットは平然と無視する。ここでようやく観客たちが、異変に気づいて騒ぎだした。

「おいお前ら、そこの馬鹿《ばか》をさっさと追い出せ」

戦いの邪魔をされた傭兵が、宰相の背後に控える儀仗兵たちに言う。それでようやく儀仗兵たちは、自分のするべきことを思い出した。

儀仗兵たちが棍棒《こんぼう》を振り上げた瞬間、アドレットはにやりと笑った。

「試合開始だ！」

次の瞬間、アドレットの両手が目にも留まらぬ速さで動いた。指先から何かが飛んで、四人いた儀仗兵たちの顔を襲《おそ》った。兵士たちが、顔を押さえて苦しみだす。

「さすがだな！」

アドレットの視界には、儀仗兵たちなど入っていない。左右の老騎士と傭兵を見ている。彼らは指で、アドレットの放った毒針をつまんでいた。毒針には痛覚を刺激する神経毒が塗ってあった。軽微な毒だが、三十分ほどは激しく痛む。

傭兵と老騎士は、同時に剣を抜いた。ようやく彼らも、乱入者がただの馬鹿ではないと気づいたようだ。傭兵の遠慮ない一撃がアドレットを襲う。刃のついていない模擬《もぎ》剣だが、喰《く》らえば間違いなく即死だ。

「ふ！」

傭兵の一撃を伏せてかわした。間髪《かんはつ》入れず背後から老騎士が突撃してきた。しかしアドレットは目にも留まらぬ速さで腰の小袋に手を伸ばす。右手で取りだした小瓶《こびん》を、後ろに向かって投げていた。

「むう！」

老騎士は剣の腹で小瓶を払いのける。瓶の中身はただの水だ。だが隙《すき》を作るにはそれで十分である。老騎士と傭兵は警戒《けいかい》して距離をとった。アドレットを前後から挟《はさ》む形で構える。通常の戦いなら必敗《ひっぱい》の状況だ。しかしアドレットは、必勝の好機を見つけていた。

小袋から小さな紙包みを取り出し、地面に向けて叩《たた》きつける。次の瞬間、足元で爆発が起きた。煙がアドレットの体を覆《おお》い、姿を隠した。

「なんだこいつ！」

「手品師か！」

老騎士と傭兵が、同時に驚愕《きょうがく》の声を上げる。もちろんただの手品師に、後《おく》れをとる二人ではない。アドレットの動作が速いのだ。それも、桁外《けたはず》れに。

煙の中でアドレットは、小袋から次なる道具を取り出していた。二人が煙にうろたえた一瞬で、勝利への布石《ふせき》は完了した。

アドレットはまず老騎士に向かって跳躍《ちょうやく》する。背中の木剣を抜いて老騎士に叩きつける。

「甘いわ！」

攻撃を防がれた瞬間、アドレットは木剣を手放した。両手で老騎士の両腕を押さえ、顔を近づける。そして、歯を打ち鳴らした。

老騎士には見えただろうか。アドレットの歯に仕込まれている火打ち石を。そして、火花とともに噴出される高純度の酒のしぶきを。

「があ！」

顔面に炎を吹きかけられ、老騎士が悲鳴をあげる。それと同時にアドレットは腕を摑《つか》んだまま体を反転させた。そして老騎士を背負い、投げ飛ばした。背中から地面に叩きつけられ、老騎士は動けなくなる。

すぐにアドレットは背後を振り返った。残る一人の傭兵を迎え撃つためではない。すでに攻撃は完了している。

煙幕弾の煙が、少しずつ晴れていく。煙の中で傭兵がうずくまっていた。足を押さえ、苦悶《くもん》の声をあげていた。

「すまねえな。その毒針は痛いだろ。できれば他の秘密道具で倒したかったんだがな」

アドレットは眉《まゆ》をひそめながら、不敵に笑った。

先ほどアドレットがいた場所に、大きな画鋲《がびょう》のようなものがばらまかれている。目をこらさなければ気づけないだろう。画鋲は闘技場の地面と同じ、薄い灰色に塗られているからだ。そして針には、激痛をもたらす神経毒が塗られている。傭兵は背後から攻撃しようと煙の中を走り、その画鋲を踏んだのだ。

傭兵が鉄の足甲《そっこう》や丈夫な革《かわ》靴を履《は》いていれば、簡単に防げた攻撃だ。しかし彼は足さばきの速さを重視したためか、軽く動きやすい布の靴を履いていた。アドレットは二人に近づく間に、彼の靴をしっかりと観察していたのだ。

「どうだ見たか！　俺の勝ちだ！」

アドレットが叫ぶが、観客たちはきょとんとしている。そう聞いたところで信じられないだろう。トーナメントの頂点を狙《ねら》う二人の戦士が、名も知られぬ乱入者に、十秒とかからず倒されたなどとは。

「な、何を、何をしている！　早く来い！　囲め！　囲んで捕えろ！」

パニックを起こした宰相が、場内を囲む兵士たちに向けて叫んでいる。言われるまでもなく兵士たちは、槍《やり》の覆いを外して闘技場の中央に走ってくる。

兵士たちがアドレットに攻撃を仕掛ける間際《まぎわ》。アドレットは戦いを見守っていた神像に向かって叫んだ。

「俺の名前はアドレット・マイア！　地上最強の男だ！　聞こえているか運命の神！　俺を六花の勇者に選ばなかったらただじゃ済まさねえぞ！」

兵士たちがアドレットに殺到《さっとう》する。このあたりでようやく、観客たちも何が起きたのか気がついた。

「王家親衛隊！　剣を抜け！　あの小僧《こぞう》を捕えろ！」

観客席にいた者たちも、会場に乱入する。倒れていた老騎士や傭兵も立ち上がり、再度アドレットに向かっていく。

神前にて自《みずか》らの力を示す聖なる戦いの会場は、収拾のつかない大乱闘の舞台と化した。

かくしてこの日から、アドレット・マイアの名前は天下に鳴り響くことになる。邪悪の手品師アドレット。卑劣戦士アドレット。史上最悪の六花候補として。


千年前、この大陸に一体の魔物が現れた。

その存在について、人はそう多くを知ってはいない。どこから来たのか、なぜ生まれたのか。何を思い、何を求めるのか、そもそも意思や思考が存在するのか。それが生物か否《いな》かすら、人間にはわかっていない。ただ突然に何の前触れもなく、その魔物は現れた。

その魔物に出会い、生き延びた数少ない者の証言が残っている。その魔物は全長十数メートルほど。その姿は一定ではなく、生きて動く泥《どろ》に似ていると人々は語った。

その魔物はただ一体でこの世に現れた。体から毒を放ち、触手《しょくしゅ》の酸で全てを溶かし、人間たちを襲い始めた。食うでもなくいたぶるでもなく、ただ殺すためだけに人々を殺してまわった。自らの体を切り分けて配下となる魔物を生みだし、さらに多くの人を殺した。

その魔物に名前はつかなかった。つける必要がないからだ。その魔物に類《るい》するものは、他のどこにもいないのだ。

魔物はただ、魔神《まじん》とのみ呼称《こしょう》された。

当時大陸は、偉大なる永世《えいせい》帝国ロハネによって支配されていた。世界全てを支配した帝国が、全軍を挙げてすら魔神に勝つことはできなかった。

国は滅び、王族は死に絶え、町や村は焼かれて消えた。

人々が絶望し、滅びの定めを受け入れたころ。一人の聖者がどこからかやってきた。

その聖者は一輪の花を武器に、魔神に立ち向かった。世界でたった一人、彼女だけが魔神と戦うことができた。

長い長い戦いだった。そして聖者は魔神を西の果てに追い詰め、打ち倒した。

帰還《きかん》した聖者は言った。

魔神は死んではいない。いつの日かまた眠りから覚め、この世を地獄へ変えるだろう。

聖者は予言した。魔神が目覚める時、私の力を受け継ぐ六人の勇者が現れる。彼らは必ず魔神を再び眠りの底へと追い返してくれるだろうと。

選ばれた勇者の体には、六枚の花弁を持つ花の紋章《もんしょう》が浮かぶという。

故《ゆえ》に人々はその六人を、六花の勇者と呼称する。

過去に二度、魔神は眠りから目覚めている。しかし二度とも、予言の通りに現れた六人の勇者によって封じられている。

六花の勇者に選ばれるには条件がある。一輪の聖者が建造した、運命神を祭る神殿で自らの力を示さねばならない。運命神を祭る神殿は大陸全体で三十か所。そこで力を示した戦士の数は、一万人を優に超える。

魔神が眠りから目覚めた時、彼らの中で最も優《すぐ》れた六人に、六花の紋章が与えられるのだ。六花の勇者に選ばれることは、戦士の最大の栄誉である。あらゆる戦士が六花の勇者に選ばれることを夢見ている。アドレットもその中の一人だ。

魔神の復活は近いと言われている。兆候《ちょうこう》は数年前からいくつも見つかっている。遅くとも一年以内、早ければ明日にでも。


「………反省はしている。悪いことをしたとは思っている」

大会準決勝から三日後。アドレットは重犯罪者が収容される牢獄《ろうごく》にいた。宰相が鉄格子《てつごうし》の前で苦虫を嚙《か》みつぶしたような顔をしている。

アドレットは重傷だった。頭と肩と両足が包帯で巻かれ、右腕は三角巾《さんかくきん》で吊《つ》られている。さすがにあの数に襲われては、無事で済むわけがない。アドレットは冷たいベッドに腰掛けて、牢獄の前にいる宰相に向かって語っていた。

「言っておくけどな。俺も正式にトーナメントに参加したかったんだぜ。だけどルールやら何やらでどうしても出場させてくれなかったんだ」

アドレットはぼやいた。神前武闘会にはルールがあった。使う武器は制限されている。戦法も騙《だま》し打ちや相手の不意を突く攻撃は禁止されている。それではアドレットは何もできない。

「ご存じのとおり俺は地上最強の男だけどな、あのルールだけはちょっと困る。そんなわけで仕方なく、ルールを無視してやらせてもらったのさ」

「……………何が目的だ」

「決まってるだろ。六花の勇者に選ばれることさ」

「六花だと？　貴様が、貴様なぞが、栄誉ある六花の勇者にだと？」

「選ばれるさ。選ばれるに決まってる。何しろ俺は地上最強だからな」

アドレットが笑う。宰相が鉄格子を殴りつけた。このおっさん自制心に欠けるなとアドレットは思った。

「……………さては全く反省しとらんな」

「反省はしてるんだ。本当だよ。儀仗兵とか、衛兵とか、たくさん怪我《けが》させちまった」

「神聖な武闘会をめちゃくちゃにしたことについてはどう思ってる？」

「そんなことはどうでもいいだろ」

わけのわからない声を上げながら、宰相が剣を抜いた。牢獄の錠前《じょうまえ》をこじ開けようとするのを、護衛兵《ごえいへい》たちが必死に止める。

「いいか、絶対に許さんぞ。必ず縛《しば》り首にしてやるからな！　絶対にだ！」

兵士たちに取り押さえられながら、宰相が牢獄の前から去っていく。アドレットはベッドに寝そべり、困ったものだと肩をすくめた。

「………」

アドレットは三日前に戦った、老騎士と傭兵のことを思い出す。どちらも恐ろしく強かった。一手攻め間違えていれば、敗《やぶ》れていたのはアドレットの方だろう。

それでも、勝てた。不格好《ぶかっこう》な戦いだったがそれでも勝てた。地上最強の証明としては十分だろう。

「……そういえば、あれだけは残念だったな」

アドレットは寝返りを打ちながら呟《つぶや》いた。残念なのは、ナッシェタニア姫のことだ。

ナッシェタニア・ルーイ・ピエナ・アウグストラ。豊原の国ピエナの第一王女。王位継承権第一位の高貴な出自でありながら、ピエナ最強の戦士でもある。〈刃《やいば》〉の神から力を授かった聖者で、虚空《こくう》から自在に刃を生みだすと聞いている。

ナッシェタニアは前年度の神前武闘会の優勝者だ。アドレットが乱入した試合の勝者が、決勝で彼女と戦う予定だった。

アドレットはナッシェタニアと戦ってみたかった。戦えなくてもせめて顔を見てみたかった。

二人を倒した時、あわよくば彼女が現れないかと思ったが、結局姿を現さなかった。

まあ、別にどうだっていいことだ。そう思って、一つ欠伸《あくび》をした。

「あ、見つけました」

そのとき鉄格子の前で声がした。殺風景《さっぷうけい》な牢獄に、不釣り合いな人物が立っていた。

「……なんだお前」

金髪の美しい少女だった。見るだけで心が和《なご》むような、素敵《すてき》な笑顔の少女だった。黒いメイド服を着ているが、似合っていない。メイド服が似合うのはもっと地味な女の子だ。

「アドレットさんですよね。すみませんが、こっちに来てくれますか？」

少女がちょいちょいと手招きをした。アドレットは戸惑《とまど》いながら体を起こし、鉄格子の方に向かった。少女に近づくと、甘いリンゴのような香りが漂った。今まで嗅《か》いだこともない、頭がとろけるようないい香りだった。

「握手してください」

ふいに少女が、鉄格子の隙間から手を差し込んできた。

「え？」

「突然押しかけて申し訳ありません。三日前の戦い、見させてもらいました。すごく感動しました。わたし、アドレットさんのファンになりました」

「……え？　……え？」

少女の香りに思考回路が溶けてしまっているアドレットは、そんな言葉しか返せない。

「握手してください。握手」

言われるままに差し込まれた手を軽く握った。こんなに柔らかいものがこの世界にあったのか。そう思うほど柔らかい手だった。少女はアドレットの手を握りながら言った。

「アドレットさん、すごくドキドキしていますね。もしかして、女の子の手を握るのは初めてですか？」

少女は口元に手を当てて、意地悪そうに笑った。慌《あわ》ててアドレットは手を放す。

「な、何を言っているのだ。落ち着いたものだぞ。手を握ったことぐらい何度でも」

「……くすくす。顔が真っ赤ですけれど」

少女が笑うと、リンゴの香りがますます強く漂うような気がした。アドレットは顔をそむけて、火照《ほて》った頬《ほお》を押さえた。

「あんなに強いのに、女の子は苦手なのですか？」

「何を言う。アドレット・マイアは地上最強の男だ。地上最強に苦手なものがあるもんか」

「……来てよかった。やっぱり面白《おもしろ》い人ですね」

と言って少女は笑った。

「わたしアドレットさんのことを知りたいのです。お話しさせてもらっていいですか？」

アドレットは頷《うなず》いた。リンゴの香りの少女は、いたずらっぽい笑みを浮かべた。ふと、そういえばまだ名前も聞いてないなとアドレットは思った。

アドレット・マイアは今年で十八歳になる。出身は西にある辺境の小国、白湖《はっこ》の国ウォーロ。十歳の時、とある事情で故郷の村を離れた。恋人はなく、友人もない。家族は幼《おさな》いころからこの世にいない。

長い間、師匠《ししょう》とともに山にこもり、魔神を倒すための修行に明け暮れていた。剣の腕を磨《みが》き、体を鍛《きた》え、各種の秘密道具の操《あやつ》り方と作り方を学んだ。

剣技と様々な秘密道具を組み合わせた、特殊な闘術を使う。

どこにも属さず、誰にも従わない。ただ魔神と戦うことだけを目標とし、自らを磨き続ける自由戦士。それがアドレットの素性《すじょう》だ。

剣に生きる者は普通は騎士団か傭兵団に所属する。そこで戦えば金を得られ、名誉も手に入る。しかしアドレットはどちらにも興味がなかった。彼の目標は魔神と戦い、倒すことだけ。彼のような純粋な自由戦士は大陸全体でも数少ない。

長い修行を終えたアドレットは、自分が地上最強であることを確かめるため、山を下りてピエナの武闘大会に出ようとした。そんなことをアドレットは語った。

リンゴの香りの少女は、熱心にアドレットの話を聞いていた。こんな話を聞いて何が楽しいのか、アドレットにはわからない。

「……………というわけで俺こそが地上最強の男であることを、運命の神に示したってわけだ。大して面白い話じゃなくて、悪かったな」

そう言ってアドレットは話を終えた。リンゴの香りの少女は拍手《はくしゅ》でこたえた。最初のうちは照《て》れ臭かったが、だんだん話すことに慣れてきた。それに可愛《かわい》い女の子が話を聞いてくれるのは、やはりうれしい。

「面白かったです。やっぱり無理をして会いに来てよかった。なんだか、地上最強って言葉を一生分聞いたような気がします」

「そうかい」

地上最強はアドレットの口癖《くちぐせ》だ。自分のことを語る時、必ずそう付け加える。

「俺が地上最強なのはゆるぎない事実だからな、積極的に口にするつもりだぜ」

「……でもそんな簡単に最強を名乗ってよろしいのですか？　あなたはまだ、ナッシェタニア姫に勝っていませんよ？」

少女は挑発《ちょうはつ》じみたことを言う。しかしアドレットは気に留めない。

「相当に強いらしいな。だが俺の方が上だ」

「世界にはまだまだ強い人がたくさんいます」

「当然だ。だが俺より強い奴《やつ》は存在しないと確信している」

「……アドレットさんは何を根拠にそう思うのでしょうか」

「俺は自分が地上最強であることを知っている。それだけだ」

「それだけですか」

「俺は知っている。運命の神も知っている。あとは魔神と世界中の奴らに教えてやるだけさ」

「本当に、すごい自信ですね」

「自信じゃあない。歴然とした事実だ」

少女は笑顔を浮かべながら、どう返事をしたものかと悩んでいる。まあ、戸惑うのもしかたないだろうとアドレットは思う。何しろ彼女は、地上最強の男に会うのは初めてなのだから。

「ところで、一つ聞いていいか？」

「はい、なんでしょう」

「ちょっと脱獄したいんだが、うまい方法はないか？」

「ここを出たいのですか？　どうして」

肝《きも》の据《す》わった子だな、とアドレットは思った。もう少し別の反応を予想していたのだが。

アドレットはピエナ国の宰相が、死刑死刑とわめいていることを話した。牢獄にいるのは仕方がないが、死刑は少し困る。少女はあごに手を当てて考えていた。

「大丈夫だと思いますよ。宰相さんは怒っていますが、死刑にまではできないと思います。人が死んだわけでもありませんし」

「そうか、ならいいや」

アドレットはほっとした。この体での脱獄は少々つらい。

「あの後、武闘会はどうなったんだ？　中止か？」

「いえ。アドレットさんの件は……なかったことになりました。昨日改めて試合が行われました。準決勝は僅差《きんさ》で傭兵のクアトさんが勝利。決勝はナッシェタニアの圧勝でした」

今、姫が呼び捨てにされたような気がする。気のせいだろう。

「意外だな。傭兵の方が勝ったのか。爺《じい》さんの方が一枚上手だったが」

「バトアルさん、投げられたとき肩を痛めていたそうです」

「手加減をしくじったか。悪いことをしたぜ」

アドレットと少女は、それから他愛《たあい》のない雑談をした。ピエナ王都を見て、あまりの壮大さに腰を抜かしたこと。物価が高くて困ったこと。少女は気さくで話しやすく、話はそれなりに盛り上がった。

「あ」

少女が何かを思い出したのか、ふいに真面目《まじめ》な顔になって言った。

「忘れていました。この話をしに来たんです。おしゃべりしてる場合ではありません」

「なんだ。穏《おだ》やかじゃないな」

少女は息を殺し、囁《ささや》くように言った。

「六花殺しって、知っていますか?」

「……なんだそれ」

「黄果《おうか》の国の騎士マトラ・ウィチタさん、ご存知ですか?」

「ああ、名前ぐらいは知っている」

世間《せけん》では誰が六花の勇者に選ばれるか、さまざまな噂が立っている。その中で何度か聞いた名前だった。若き天才騎士で、世界一の弓の使い手だという。

「銀砂《ぎんさ》の国のフーデルカさん。〈氷《こおり》〉の聖者アスレイさん、知ってますか?」

アドレットはうなずく。どちらも名高い戦士の名前だ。

「何かあったのか？」

「………殺されました。犯人は、わかっていません」

「凶魔《きょうま》、か」

「おそらく」

魔神のしもべである凶魔と呼ばれる生物。彼らは魔神の復活に備え、ひそかに六花の勇者を迎え撃つ用意をしている。大陸のそこかしこに潜り込み、様々な工作を行っている。六花に選ばれそうな人物を、何者かが消して回っているのだ。

「………凶魔ごときが簡単に倒せるような連中じゃない。いったいどうやって」

「わかりません」

「やっかいだな」

「アドレットさん、たぶんここにいた方がいいと思います。どこにいても危険なことには変わりませんが、この牢獄は警戒が相当厳重です」

「そうだな。怪我が治るまではじっとしていることにする」

用件を伝え終えたのか、少女はそわそわと外に目を向ける。

「すみません、そろそろ戻らないと怒られます。いえ、怒られるのは確定なんですが、もっと怒られます」

「構わねえさ。戻りな」

ぺこりと頭を下げて、立ち去ろうとする少女をアドレットが引き止める。

「もし姫に会ったら伝えておいてくれ。彼女もきっと六花に選ばれる。一緒に戦う日を楽しみにしていると」

「………へ？」

少女はぽかんと口を開けた。それから、なぜかくすくす笑い出した。

「なんだよ」

「いえ、すみません。伝えておきます。もし会えたら」

少女が外に向かって歩き出す。振り向いて舌《した》をぺろりと出した。

「アドレットさん。あなたけっこう、間抜《まぬ》けな人ですね」

何のことだと聞き返そうと思ったが、すでに少女の姿はなかった。どういうことか考えたが、解らないので忘れることにした。

アドレットはベッドに横たわり、天井を見つめる。考えるのは六花殺しとやらのことだ。

「……六花殺しか。選ばれたら、戦うことになるんだろうな」

さっきまで明るく能天気《のうてんき》な表情を浮かべていたアドレット。しかし今は、静かな怒りがその目に宿っていた。

少女の言うとおりアドレットへの懲罰《ちょうばつ》は、刑期未定の懲役刑《ちょうえきけい》ということに落ち着いた。まあそのぐらいのものだろうと思い、あえて抗議はしなかった。牢屋《ろうや》の中で一人、アドレットは傷が癒《い》えるのを待った。

数日後、アドレットの牢屋に、ベッドに隠しておける大きさの剣が差し入れられた。いざというときはこれで身を守れ、ということだろう。あの少女が手をまわしたのか、他にもアドレットのファンがいるのかはわからない。

一カ月が過ぎ、二カ月が過ぎた。体が鈍《にぶ》らないよう牢屋で鍛練《たんれん》を続けた。六花殺しとやらは、姿を見せない。

三カ月が過ぎ傷も完全に治る。アドレットがそろそろ脱獄を考え始めたころ、異変は起きた。ある夜、突然動悸《どうき》がして目を覚ました。全身が熱く、心が言いようのない興奮《こうふん》にたぎった。十秒ほどでそれが収まると、アドレットの右手にはぼんやりと光る紋章が浮き上がっていた。

魔神が目覚めたのだ。そして、アドレットが六花の勇者に選ばれたのだ。

「……………なんだ」

アドレットは紋章を見つめながら呟《つぶや》いた。

「案外あっさりしたものなんだな」

全身が光に包まれるとか、運命の神が姿を現して魔神の打倒を命じるとか、そんなことを想像していた。なんだか拍子《ひょうし》抜《ぬ》けした気分で、アドレットは紋章を見つめていた。

やがて、そんなことをしている場合ではないと気がつく。

「おおい！　誰か来いよ！」

アドレットは牢屋の鉄格子を叩いて衛兵を呼んだ。さすがに六花の勇者に選ばれたことが判《わか》れば、閉じ込めておくわけにもいかないだろう。しかし衛兵が来ないことにはどうしようもない。

「誰もいねえのか！　俺が六花に選ばれたんだよ！」

牢屋の中は異常に静まり返っている。衛兵の気配を全く感じない。仕方ないから脱獄するかと思った時、にわかに階下が騒がしくなった。

「なぜこのようなところへ！　一体何の用があるのです！」

「バトアル！　急いでるのです！　邪魔をしないでください！」

どちらも聞き覚えのある声だった。片方はリンゴの香りの少女だ。それを追いかけているのは、闘技場で戦ったあの老騎士ではないだろうか。その後ろからも、どたどたとたくさんの足音が聞こえてくる。

「アドレットさん！　選ばれましたか！」

少女がアドレットのいる牢獄の前に駆けてくる。この間のメイド服ではない。豪奢《ごうしゃ》な白い鎧に身を包み、腰には細い剣を差している。頭にかぶっているのは、兎《うさぎ》の耳を模《も》した兜だ。動物をモチーフに兜を作るのは、ピエナ王家の伝統だとどこかで聞いたことがある。

その姿を見た瞬間、アドレットは彼女の素性を理解した。そして自分がどれだけ間抜けだったかもわかった。普通気がつくものだろうと、アドレットは苦笑する。

牢獄の前に来た少女が言った。

「お久しぶりですね。改めて名乗らせていただきます。ナッシェタニア・ルーイ・ピエナ・アウグストラ。ピエナ王国第一王女、そして当代の〈刃〉の聖者です」

リンゴの香りの少女……ナッシェタニアは鎧の胸元を下げ、鎖骨《さこつ》の辺りにある六花の紋章を見せた。

「このたび、六花の勇者に選ばれました。よろしくお願いします」

「地上最強の男アドレット・マイア。こちらこそよろしくくだ」

アドレットは右手の紋章を見せる。

「姫！　一体何をなさっているのです！　このような者と話している暇《ひま》はございません！」

駆けつけてきた老騎士たちにも、右手の六花の紋章を見せつける。騎士たちは目を見開いて黙り込む。

「さっそく行きましょう。時間は有限です」

ナッシェタニアが牢屋の鍵《かぎ》を開け、アドレットは外に出る。制止する老騎士たちの声も聞かず、二人は走り出した。

「馬の用意は！」

「こちらです！」

二人は窓から外に飛び出して、芝生《しばふ》に着地する。そこにはナッシェタニアのメイドらしき女性が、慣れない手つきで二頭の馬を連れてきている。

「用意周到《よういしゅうとう》だな」

「はい、出発です！」

二人は馬にまたがって駆けだした。後ろでは老騎士や兵士たちが叫んでいる。出陣式がどうのやら、国王との謁見《えっけん》やら、何やらどうでもいいことをわめいている。

隣を走るナッシェタニアの横顔を見ながら、アドレットは笑った。この娘とは、うまくやれそうだ。彼女も同じことを思ったのか、こっちを向いてにこりと笑った。

千年前、一輪の聖者と呼ばれる女性が魔神を打ち倒して封印《ふういん》した。それは大陸の西の果て、バルカ半島と呼ばれる地だ。現在は鉄岳《てつがく》の国グエンバエアの一部である。

そこは口の部分を大陸につけた、フラスコのような形をしている。六花の勇者は、その入口の部分に集合する手はずになっている。運命神の神殿で自らの力を示す時、戦士たちは必ずそれを聞かされるのだ。六花の勇者たちが世界のどこにいようとも、そこで待っていれば合流できる。

魔神は目覚めた後も、しばらくは本来の力を取り戻すことができない。六花の勇者は魔神が力を取り戻す前に、バルカ半島の最深部にたどり着き、再度封印しなければならない。魔神が目覚めてから力を取り戻すまで、短くて三十日だ。時間的な余裕はあるようで実はない。

半島には一万を超える凶魔たちが、六花の勇者を待ち構えている。その中にたった六人で乗り込むのだ。長く辛《つら》い戦いになるだろう。過去二度の戦いでは、六花の勇者の半数以上が犠牲《ぎせい》になっている。

しかし死を恐れる者が、六花の勇者に選ばれることはない。

バルカ半島は、正式な名で呼ばれることは少ない。広大な半島は魔神の復活を待ち望み、涙する凶魔たちの声で満ちている。

ゆえにそこは、魔哭領《まこくりょう》と呼ばれている。

ピエナ王都を出た二人は、まずアドレットの隠れ家に立ち寄った。そこでアドレットは、装備を整えた。

アドレットは腰の小袋に様々な秘密道具を詰めた。背中に担《かつ》いだ大きな鉄箱にも、大量の爆弾や毒物や暗器《あんき》が収められている。魔神を倒すためには、この大量の秘密道具は不可欠だ。これらの秘密道具がなければ、アドレットは地上最強を名乗れない。

鉄箱は頑丈《がんじょう》で重く、並の人間なら背負っただけで息が切れる。しかしそれが重荷を感じるようなアドレットではない。

それから二人は一日馬を飛ばして豊国の国ピエナを出た。今は黄果の国ファンダエンに入っている。

「もう追いかけてきませんね」

「いい加減諦《あきら》めたんだろうな」

アドレットとナッシェタニアは後ろを振り返りながら言葉を交わした。ナッシェタニアを追いかけるピエナ王宮の連中のことだ。

「しかし、少し冷たくないか？　お前の配下なんだろ？」

「そうなんですが、なにしろ面倒《めんどう》な人たちですから」

アドレットはナッシェタニアに対して、あえて敬語を使っていない。あくまでも対等な仲間として接するつもりだった。ナッシェタニアもそれでいいようだ。

二人は疲れた馬をいたわるため、少しペースを落として街道を進む。周囲には果樹園が広がっている。

「きれいですね。黄果の国はその名の通り、美味《おい》しい果物が採《と》れる国だ。わたし果物畑を見るのは初めてです」

「そうなのか」

ナッシェタニアは、楽しそうに周囲を見渡している。アドレットにとってはごく普通の光景だが、彼女にとっては物珍《ものめずら》しいのだろう。向こうからレモンを積んだ馬車が通りがかった。

「すいません、一つもらっていいですか？」

なにをしてるんだ、とアドレットは思った。ナッシェタニアは御者《ぎょしゃ》の返事も待たずレモンを一つ摑んだ。握りつぶして美味しそうに果汁を吸う。

「ごちそうさまでした！」

口元をぬぐい、絞《しぼ》りかすを馬車に放り投げる。すでにわかっていたことだが、この姫様はなかなかに変人らしい。

「それにしても、平和なものですね」

ナッシェタニアが手についた果汁を舐《な》めながら言った。

「魔神が目覚めるというのは、もっと大事《おおごと》のように思っていたのですが」

「そういうものだよ。前に魔神が目覚めたときも、その前の時も、世の中は平和なものだった。騒ぎが起きてるのは、魔哭領の近くだけだった」

アドレットが言う。

「平和じゃなくなるのは、俺たちが負けた時だ」

「そうですね。頑張りましょう」

道の向こうから今度はニンジンを積んだ馬車がやってくる。ナッシェタニアはまたひょいと馬を飛び降りて、勝手に一本つまんだ。まさか生《なま》で食うつもりかと思ったら、なんとその通りだった。

ナッシェタニアは空中に白く薄い刃を生み出した。刃は目にも留まらない速さで動き、一瞬でニンジンの皮をきれいに剝《む》いた。

「それが〈刃〉の神の力か」

「そうですよ。すごいでしょう。私、聖者ですから」

ニンジンを丸かじりしながらナッシェタニアが胸を張った。

「こんなこともできますよ」

そう言ってナッシェタニアは、人差し指をくい、と持ち上げた。

大地から刃が生《は》えた。刃渡りは五メートルを超えている。刃は薄く、恐ろしく鋭い。人も凶魔も、これに貫《つらぬ》かれたらひとたまりもないだろう。

「こんなことだって」

人差し指でアドレットを指す。指の周囲に、刃渡り三十センチほどの刃が生まれる。それが次々と、アドレットの顔面を襲ってくる。

「何してんだ馬鹿！」

「このぐらいかわせるでしょう？」

ナッシェタニアはけらけら笑いながら、短剣を発射し続ける。難なく刃をかわしながらも、アドレットは内心で驚いていた。ナッシェタニアの力、〈刃〉の聖者の力に。

聖者とは、超常的な力を操る戦士たちの総称だ。この世界に八十人足らずしか存在せず、全員が例外なく女性である。

聖者たちは万物《ばんぶつ》の摂理《せつり》を司《つかさど》る神と一体になっているという。体に宿した神の力を借りて、人間を超えた能力を振るうのだ。ナッシェタニアはたくさんいる神の中で、〈刃〉の神を身に宿している。

聖者は一柱《はしら》の神に対し、一人きりしかいない。〈刃〉の神の力を借りられるのは、現在ナッシェタニアの他にはいない。彼女が死ぬか、聖者の力を返上すると、他の誰かが〈刃〉の聖者に選ばれるのだ。〈刃〉のナッシェタニアの他にも〈炎〉の聖者、〈氷〉の聖者、〈山〉の聖者など、さまざまな力を持った者たちがいる。その中の何人かは、六花に選ばれているだろう。

かつて魔神を倒した一輪の聖者は、〈運命〉の神を身に宿した女性だ。

「いい加減にしろ！」

アドレットはナッシェタニアの飛ばす刃を指でつまみ、投げ返した。ナッシェタニアの兜に当たり、地面に落ちた。

「すみません、はしゃぎすぎました」

「全くだ」

「怒ってますか？」

「怒ってる。完璧《かんぺき》に」

そう言うとナッシェタニアは急にしょげた。悲しそうな顔で、生のニンジンを齧《かじ》りだす。そこまで怒っちゃいないだろうと、アドレットは後悔する。

「……………ごめんなさい」

さっきとは打って変わった沈んだ声で、ナッシェタニアが言う。

「わたし少し、変な女の子なんです。お父様にも、メイドたちにも怒られてばかり」

「いや、別にそんな」

「わたしみたいなのは、どこに行っても迷惑なのでしょうか」

何かつかみどころのない女の子だと、アドレットは思った。メイドの服を着て牢屋に現れたり、道端ではしゃぎまわったり、かと思えば少し怒っただけでこんなに落ち込む。

困った。彼女とどう接していけばいいのだろう。アドレットは馬の手綱《たづな》を握りながら、うつむいた。彼女にかける言葉が浮かばないまま、二人は黙って馬を進める。

地上最強の男が、何をつまらないことで悩んでいる。アドレットはそう思い、ナッシェタニアに話しかけようとする。しかしその時、ナッシェタニアが横目でこっちを見ていることに気がついた。

「もしかして、本気で落ち込んでると思いました？」

「……おい」

ナッシェタニアは口元に手を当てて、からかうような笑顔を浮かべていた。忘れていた。この少女はいたずらが大好きなのだ。

「あっははは、やっぱりアドレットさんは楽しいですね」

「くそ。心配して損《そん》した」

「そんな簡単に落ち込みません。安心してください」

アドレットはそっぽを向き、馬の尻《しり》に鞭《むち》を入れ、ナッシェタニアを置いて走りだす。

「怒らないでくださいよ。はしゃぎすぎました」

「全くだ」

「でも勘違《かんちが》いしないでくださいね。普段はもっと大人しいですから。今は楽しくて浮かれてるだけです」

「これから魔神と戦いに行くんだぞ。わかってるのか」

「わかってます。今だけですよ。ごめんなさい」

ナッシェタニアは、笑いながら頭を下げた。

「こういうの、初めてなんです。これから戦いだとわかっていても、抑えられないんです」

「初めて？　何が？」

「アドレットさんのような人といることです」

ナッシェタニアの表情が変わった。いたずら娘の笑顔から、アドレットを慈《いつく》しむような優しい笑顔になった。この少女はいくつもの笑顔を持っている。

アドレットは急に照れ臭くなった。

「こうやって対等に話せる相手、思ったことや感じたことを素直に話せる相手。そんな相手は、アドレットさんが初めてです」

照れ臭いのを通り越して、恥《は》ずかしくなってきた。アドレットは横目でナッシェタニアの顔を見た。俺を照れさせて楽しんでいるのではないかと思ったが、そういうわけではないらしい。

「あ、馬車ですね。もう一本ニンジンもらいましょう」

そんな思いを知ってか知らずか、ナッシェタニアはまた生でニンジンを齧り始める。アドレットは肩をすくめて、その様子を見つめていた。


ナッシェタニアはそれからも、好き放題に振る舞った。やがて日が暮れて夜が来る。二人は街道横に馬を止め、野宿の準備に入った。王宮育ちのナッシェタニアに野宿は耐えられるかと思ったが、経験は何度もあるので問題ないという。

アドレットは寝床《ねどこ》の用意をした後、周囲を探った。死角になる場所はないか、身をひそめるための遮蔽物《しゃへいぶつ》はあるか。不意打ちには常《つね》に備えておかなければならない。

「どうしたんですか？」

ナッシェタニアが尋《たず》ねてくる。瞼《まぶた》が落ちかけていかにも眠そうにしている。呑気《のんき》なものだ。

「なあ、寝る前に聞いておきたいんだが。例の六花殺しはどうなった?」

「……そういえば伝えていませんでしたね」

ナッシェタニアの顔が曇《くも》った。あまりいい知らせではないようだ。

「言っていませんでしたが、実は半年前からゴルドフが六花殺しを追う旅に出ています」

「ゴルドフ……お前のとこの騎士だったな」

知っている名前だった。黒角《こっかく》騎士団筆頭ゴルドフ・アウオーラ。ピエナ王国軍が誇る若き天才。ナッシェタニアと並び称されるピエナ最強の騎士だ。

「残念ながら、良い知らせは聞いていません。最後の連絡は一カ月半前、手掛かりなし、の一言でした」

「返り討《う》ちにあったのかもな」

「それはありません!」

ナッシェタニアは珍しく声を荒らげた。

「ゴルドフは強いです。わたし、彼に勝ったことないんです」

「去年の大会は?」

ナッシェタニアは去年の神前武闘会の優勝者だ。決勝でゴルドフと戦い、死闘の末に倒しているはずだ。

「最後の最後で、手加減されました。仕方ありませんよね。立場がありますから。

でもあんなに悔《くや》しかったことはありません。だから約束させたのです。雪辱《せつじょく》を果たすまで死んではいけないと。そういうわけでゴルドフは死にません。死なないはずです」

ナッシェタニアは少し考えた後、最後に一言付け加えた。

「……たぶん」

「信頼してるのか、してないのか？」

「信頼しています。ただ少し若すぎるんです。まだ十六歳です」

「若いな。俺たちが言えた立場じゃないが」

アドレットは言った。アドレットは十八歳、ナッシェタニアも同じ歳《とし》だと聞いている。世界の命運を背負うには少し若すぎる。

「でも、強いですよゴルドフは。まだほんの少しだけ頼りないところがあるだけです」

「そう願いたいな。で、手掛かりはつかめてないのか。他に動きは？」

「ありました。〈太陽〉の聖者リウラ様が、一カ月前から行方《ゆくえ》不明です」

「リウラ？　〈太陽〉の聖者？」

それも知っている名前だ。生きながら伝説になっている聖者だ。〈太陽〉の神の力を操るという。

四十年ほど前、彼女はとある戦争でその力を見せつけた。敵が籠城《ろうじょう》する城を、天から降り注ぐ熱線で焼き払った。彼女一人で十を超える城が落ちたと聞いている。歳をとってからは、聖者たちを束ねる長《おさ》を務めていたはずだが、それも引退したはずだ。

「有名人だが、戦える歳じゃないだろう?」

「はい。もう八十過ぎです。いくら強くても、もう戦場に出られる体ではないと思います」

「おかしいだろ。他に狙う相手はいるはずだぜ。俺に、お前に、ゴルドフ。〈沼〉のチャモだっている。強い奴はまだごろごろしている」

「わたしも変だとは思うのですが……」

ナッシェタニアは眉をひそめる。ここで話していても、何もわからないだろう。

「まあいい。寝るか。六花殺しのことはいずれわかる」

「いずれ?」

「戦うことになるさ。間違いなく、な」

「凶魔なのでしょうか。それとも、まさか人間?」

「わからない」

ナッシェタニアは床に就《つ》いた。アドレットは膝《ひざ》を抱えながら目を閉じる。警戒をしながら体と心を休める体勢だ。

その日の夜は、何事もなく過ぎた。その次の日も、その次も。何も起こらないことが、逆にアドレットには不安だった。

二人は十日間旅をした。大急ぎの旅だった。何度も馬を取り換え、一日三時間も眠らずに進んだ。普通の旅だったら、三十日近くかかる距離だ。

長い旅を終え、いよいよ魔哭領のある鉄岳の国グエンバエアの国境を超える。険しい山のはざまを道がうねり、辺りは深い森に覆われている。

次第に魔神の噂が、人々の口の端《は》に上りだしているようだ。魔哭領に近づくたびに、人々の表情が険しくなってくる。鉄岳の国に入ると、荷物をまとめて逃げる家族の姿がちらほらと目につくようになった。

「……………急ぎましょう」

さすがにこの辺りに来ると、ナッシェタニアもはしゃいだ様子は見せなくなる。彼女は天真《てんしん》爛漫《らんまん》な性格だが、馬鹿ではない。

「気をつけろ。たぶんそろそろ、凶魔が仕掛けてくる」

「なぜわかるのですか?」

「敵は俺たちが集合する前に叩くつもりだ。前の六花の時もそうだった」

「詳《くわ》しいのですね」

「凶魔については師匠から叩きこまれている。種族や生態、弱点、想定される行動まで」

「頼りにしています」

それからアドレットたちはさらに道を進んだ。進むたびに、ナッシェタニアの口数が減っていった。やがて完全に黙り込んだ。アドレットはたまらず声をかけた。

「ナッシェタニア」

返事はない。ナッシェタニアは思い詰めた表情で手綱を握っている。

「ナッシェタニア！」

「は、はい！」

「………緊張してるのか」

手綱を持つ手が青ざめていた。手綱から手を放し、汗《あせ》を太ももにこすりつけた。掌《てのひら》に汗をかくのは、心の余裕を失っている証拠だ。

「落ち着け、まだ戦いは始まってもいないんだぞ」

「そ、そうですね。どうして、こんなに緊張しているのでしょうか」

アドレットは一つ疑問に思うことがあった。

「今まで実戦の場に立ったことはあるか。本当の殺し合いを経験したことはあるか」

「………それは」

ないのだな、とアドレットは思った。仕方ないことだろう。まがりなりにも一国の姫だ。

「………アドレットさん、本当にわたしは強いのでしょうか。もしかして、今までみんなが手加減してくれただけなのでは………」

汗のにじむ掌を見つめながら、ナッシェタニアが言う。

「落ち着け。そんなこと考えるな」

「まだ凶魔に会ってもいないのに、落ち着かないと………」

昨日まではしゃいでいたのが嘘《うそ》のように、ナッシェタニアが震えている。いや、昨日までの明るさは、不安を押し殺すためのものだったのかもしれない。

だが彼女は臆病者ではない。初めての実戦の前には、誰だって緊張するものだ。どんなに強くても、それは変わらない。

「ナッシェタニア。笑え」

「え？」

「笑うんだよ。まずはそれからだ」

ナッシェタニアは掌を見つめながら言う。

「無理ですよアドレットさん。手の震えが止まらないのに、笑うなんて、そんな」

そう言いながら、顔を上げてアドレットを見た。その時アドレットは、鼻を指で持ち上げ、両方の頰《ほお》を押しつぶしていた。

「…………ぶぐっ」

ナッシェタニアが変な声を上げた。口を押さえてうつむいた。

「笑えたな。落ち着いたか」

アドレットが言う。ナッシェタニアは掌を見つめ、首筋を触って脈《みやく》を確かめる。

「だいぶ、楽になりました。ありがとうございます」

ナッシェタニアの表情を見て、アドレットは頷いた。彼女は大丈夫だ。まだまだ未熟で無知だが、本質は立派《りつぱ》な一人前の戦士だ。

「俺の師匠が、最初に教えてくれたことだ。笑えってな」

「いい先生に、教わったのですね」

どうだろうな、とアドレットは肩をすくめる。

とりあえずこれから、魔哭領の入口を目指すことになる。まずは全員が合流することが第一目標だ。しかしその前にいくつか試練が待ちかまえているだろうと、アドレットは思った。

そのとき、道の向こうから子供を抱えた男と、足に怪我をした女性が走ってきた。

「どうしました⁉」

ナッシェタニアが馬から降りて二人に近づく。女性はナッシェタニアにすがりついて泣きはじめた。

「逃げようとしたんです！　凶魔が、凶魔が来る前に、逃げようと！」

「落ち着いてください！」

女性は号泣《ごうきゅう》してしまい話もできない。ナッシェタニアは男性の方を見る。

「俺たちの村は、兵士の人たちと一緒に首都まで逃げるつもりでした。ですが、その途中で凶魔に襲われて、俺たちは………仲間も………下の子も置いて………」

男性の話を聞きながら、またナッシェタニアの手がかすかに震え始める。アドレットは彼女の肩に手を置き、小さな声で言った。

「冷静に、だ。お前の強さなら何も怖くない」

そう言ってアドレットは、馬に鞭を入れて走り出した。

「ナッシェタニア！　ついてこい！」

「は、はい！」

馬の手綱を握りながら、アドレットは考えた。

予想通りの流れだ。凶魔たちは六花の勇者の各個撃破《かっこげきは》を狙っている。そのために周辺の村を焼き、人々を襲う。六花の勇者をおびきよせるためだ。前の戦いでは、その作戦で一人が命を落としている。

勝利のみを考えるなら無視して進むのが正しい。しかしそんな正しさなどくそくらえだとアドレットは思う。何のために魔神と戦うのか。無力な人々を守るためだ。

「いた！」

十匹の凶魔が、馬車の群れに襲いかかっている。体長十メートルほどの、ヒルのような姿をした凶魔だ。頭の部分から一本の角《つの》と数本の触手《しょくしゅ》が生え、触手の先に人間のものによく似た眼球がついている。

凶魔は一種一系統の生き物でありながら、千変万化《せんぺんばんか》に姿を変える。今いるヒルに似たもの、巨大な昆虫に似たもの、鳥や動物に似たもの、人間に似て言葉をしゃべる者すらいる。

ただ一つ共通するのは、頭部のどこかに角が生えていること。それだけだ。

襲われているのは十数人の兵士、そして農夫とその家族たちだ。多くは傷つき、何人かは命を落としている。アドレットは馬から飛び降り、凶魔の群れに向かって突撃していく。

「俺が足止め、ナッシェタニアは止《とど》めだ！」

後ろを走るナッシェタニアに向かって叫ぶ。アドレットは一瞬で小袋から鉄瓶《てつびん》を取り出した。蓋《ふた》を外し、中身を口に含む。

「——！」

凶魔の何匹かが、アドレットを見つける。頭を持ち上げ口から液体を吹きかけてくる。アドレットはそれを前転で避《よ》ける。立ち上がると同時に、前歯の火打ち石を打ち鳴らした。鉄瓶の中身は特殊な調合をほどこした火酒《かしゅ》だ。口から吐き出した炎が凶魔の顔面を襲う。払いのければ無傷で済む程度の炎だが、凶魔は身悶《みもだ》えして苦しむ。

想定通りだ。この種の凶魔は熱に弱い。

アドレットの秘密道具は、ほとんどがそれ自体ではたいした威力《いりょく》はない。様々な道具を使い分け、凶魔の弱点を突くことに真骨頂《しんこっちょう》がある。

「流石《さすが》です！」

ナッシェタニアが〈刃〉の神の力を使う。地面から生えた刃が三体の凶魔の首をはね、息の根を止める。

残る七体は、かまわず農夫たちを襲っている。アドレットはすぐさま次の秘密道具を取り出す。今度の道具は小さな笛《ふえ》だ。それを咥《くわ》えて息を吹き込む。

「——？」

音は出なかった。しかし村人たちを襲っていた凶魔が、一斉《いっせい》にアドレットの方を向いた。これは凶魔たちの注意を引く、特殊な音波を出す笛だ。

凶魔たちがアドレットに攻撃を仕掛ける。アドレットは冷静にかわす。その隙をナッシェタニアは見逃さない。さらに五体を刺し殺す。残りの二体は、アドレットが剣で仕留《しと》めた。終わってみればあっという間だ。凶魔十体に一分もかかっていない。

「…………ふう」

疲れはないのに汗をかいていた。初めてのことではないが、やはり実戦は緊張する。

「…………はあ…………はあ」

ナッシェタニアは息を切らしている。彼女の肩に手を置いて、アドレットは言った。

「完璧だったぜ。初陣《ういじん》とは思えねえ」

「思ったより冷静に戦えました。これなら、わたしも役に立てそうです」

「頼りにしてるぜ」

ナッシェタニアは笑った。

それから二人は兵士たちの手当てを手伝った。村人たちは仲間の死体を馬車に積み込んでいる。他人の死を見るのは辛い。子供を残して死ぬ親の姿は特に。

「ここにいるので全員か？　他に逃げ遅れている人はいないか？」

アドレットは手当てをしながら尋ねた。すると彼らは答えにくそうにうつむき、互いに目配《めくば》せをする。

「どうした」

「それが……」

村人たちは口ごもる。アドレットはすぐに事情を察する。

「誰か取り残されているんだな」

「た、旅の女の子が一人で村に………」

村人の一人がそう言うと、アドレットはすぐさま馬に乗り込んだ。鞭を入れようとすると、ナッシェタニアが慌てて聞いてきた。

「アドレットさん、どこへ」

「女の子が取り残されているらしい。行ってくる」

馬に鞭を入れようとした時、ナッシェタニアが手首を摑んで止めた。

「待ってください。一人で行く気ですか?」

「ああ。ナッシェタニアはここを頼む」

手綱で馬を走らせようとすると、今度は馬の尻尾《しっぽ》を摑まれた。

「なぜ止める」

「………無理です、アドレットさん。もう間に合いません」

「………」

「わたしたちは二人しかいないのです。誰も彼もを助けて回ることなんてできません」

少し意外だった。ナッシェタニアは案外冷静に状況を見ているようだ。

「確かにそうだな」

「残念ですが、その女の子は諦《あきら》めて、先に進みましょう」

悲しそうにナッシェタニアがうつむく。彼女も本音では、人助けに動きたいのだろう。だが魔神を倒すことを優先するナッシェタニアの意見は正しい。

「……魔神を倒す。人助けをする。両方こなすのは難しいな」

「わたしも辛いです。でも、今は他の六花と合流することを第一に考えましょう」

ナッシェタニアが手を放すと、アドレットは鞭を入れた。馬はいなないて駆けだした。

「悪いけど行かせてもらう。俺は地上最強だからな！」

「どういう意味ですか⁉」

魔神は倒す。人も助ける。両方できてこそ地上最強の男なのだ。アドレットはそう心の中で呟《つぶや》いた。


三十分ほど馬を走らせると、村を囲む柵《さく》が見えてきた。道中は静かだった。人も凶魔も、動物一匹姿を見せない。

村は静まり返っていた。まだ凶魔は来ていないのか、すでに事を終えて去ったのか。あるいは、罠《わな》か。アドレットは馬を降り、剣を抜いて慎重に歩いた。

村の入口に妙なものが横たわっている。大蛇《だいじゃ》に似た凶魔の死骸《しがい》だ。大きい。先ほど倒したヒルの凶魔より、はるかに強力な個体だ。

アドレットは近づき、死骸の様子を見る。頭部が何かとてつもない力で砕かれている。その傷口を探ると、中に二センチほどの鉄球が埋まっていた。

「……石弓《いしゆみ》か？　違うな。まさか銃か？」

アドレットは首をかしげる。銃は三十年ほど前、大砲を小型化して開発された武器だ。少しずつ普及はしているが、強力な武器とは言い難《がた》い。鎧をつけていない人間か、猪《いのしし》を倒すのが精《せい》一杯《いっぱい》だ。凶魔を殺せる銃など、聞いたことがない。

アドレットは村の中に入る。そこかしこに凶魔の死体が転がっている。どれも一撃で、頭部か心臓部を撃ち抜かれている。

そこでようやく気がついた。村に残っているという、旅の女の子。彼女は、取り残されていたわけではない。ここで凶魔たちを迎え撃っていたのだ。

魔神が眠りから覚めたこの時期に、一人で旅をする戦士。考えられることは一つしかない。

アドレットは少女の姿を探した。家の中や村の広場を見て回ったあと、村外れの炭焼き小屋の辺りを歩く。

「……………お」

人影を見つけた。手を挙げて声をかけようとした。しかし手は途中で止まり、声は喉《のど》のところでつっかえた。その少女を見た瞬間、アドレットは一切の身動きが取れなくなった。

一人の少女が朽《く》ちた小屋の前を歩いている。年は十七か八だろうか。裾《すそ》の擦《す》り切れたマントを羽織《はお》った、白い髪の少女だった。少女は両手で、一匹の子犬を抱えていた。少女は歩きながら、愛《いと》おしげに子犬の首筋をなでていた。

凶魔を倒したのがその少女であることは、一目でわかった。マントの隙間《すきま》から、銃がのぞいている。だがアドレットにはそのことすらどうでもよかった。

少女が子犬を抱いている。ただそれだけのありふれた光景を前にアドレットは立ちつくした。

「見つけてきたわ」

小屋の前では一匹の犬が杭《くい》につながれていた。少女が抱えている子犬の親だろうか。少女は腕の中の子犬を地面に降ろした。子犬は親らしき犬に飛びつき、尻尾を振ってじゃれついた。少女は懐《ふところ》からナイフを取り出すと、親犬の首輪を斬《き》って解放した。

「凶魔は、人以外は襲わない。安心してここで暮らしなさい」

犬の親子は少女の膝にじゃれつき、それから森の中に消えた。その様を、アドレットは凍《こお》りついたように見つめていた。

美しい少女だった。顔は少し幼い。右目は眼帯に覆われ、左目は透き通るような青だった。少したれ目で、冷たい目をしていた。革のマントを羽織り、その下には革の服が、肌《はだ》にぴったりと張り付いている。頭には黒い布を巻いている。

この少女は強い。それは一目でわかった。隙のない動作、研《と》ぎ澄《す》まされた刃のようなたたずまい。戦士としての完成度の高さがうかがえる。近づけばそれだけで、心臓を止められるような気さえする。

しかし子犬を撫《な》でていたあの手つきが、アドレットを混乱させる。子犬の背中を包みこみ、ぬくもりを分かち合うような手。慈《いつく》しむとはこういうことだと、教えてくれるような優しい手。

少女は二匹の犬が去った森を、静かに見つめていた。その目が、その表情がアドレットにはひどくはかなげに見えた。萎《しお》れかけた花のような、今にも沈もうとする星のような、そんなかぼそい存在に見えた。

アドレットは少女のことがわからない。彼女は冷たく、そして温かい。恐ろしく強く、同時にかよわい。その矛盾《むじゅん》した第一印象に、アドレットは戸惑っていた。

「……誰？」

少女がアドレットの方を向いた。アドレットの心臓が跳《は》ね上がった。頭の中が真っ白になって、何を言えばいいのか全く思い浮かばなかった。耳の奥から心臓の音が聞こえてくる。美しさに衝撃を受けたわけではない。感動ではなく、たぶん恋でもない。ただどうすればいいのかわからない。うろたえることしかできないのだ。

「犬、好きなのか？」

アドレットはようやく、そんな見当違いの言葉を絞り出した。少女は口を開けたままアドレットを見つめていた。呆《あき》れているのがわかる。

「犬は好きよ。人間は嫌いだけど」

「……そうか。俺はどっちも好きだ」

「あなたは誰？」

そう言いながら少女はマントの下から銃を抜いた。そしてアドレットの眉間《みけん》に向けた。アドレットはまるで危機感を覚えなかった。

「あなたも、私を殺しに来たの？」

その左手の甲《こう》には、六花の紋章が浮かんでいた。少女の顔と、六花の紋章をアドレットはぼんやりと見つめていた。

「……撃ってもいいの？」

アドレットはその言葉で我に返った。慌《あわ》てて両手を上げ、敵意がないことを示した。

「待て、撃つな。俺はアドレット・マイア。お前と同じ六花の勇者だ」

手の甲の紋章を見せると、少女はいぶかしげにアドレットを見つめる。

「……聞いたことがあるわ。ピエナ武闘大会の卑劣《ひれつ》戦士ね。正真正銘《しょうしんしょうめい》の下種《げす》という噂《うわさ》」

アドレットは慌てる。

「ま、待て。誰がそんなことを言った。俺は地上最強の男だ。断じて卑劣戦士じゃない」

高鳴る心臓をなだめながら、アドレットは喋《しゃべ》る。

「あなたが六花の勇者？　とうてい信じられないわ」

銃口を向ける少女の姿には、優しさもはかなさも感じられない。そこにいるのは、冷徹《れいてつ》で用心深い、生粋《きっすい》の戦士だった。少女の態度にアドレットの戸惑いも雲散霧消《うんさんむしょう》していく。

「噂の方が間違えている。俺は勝つためにあらゆる手段を使うが、卑劣ではない」

「……………」

「俺は地上最強の男アドレットだ。卑劣な男に最強は名乗れない。だから銃を向けるな」

アドレットは自信を持って言うが、少女は呆れた表情を浮かべるばかりで銃を下ろす気配はない。

「……他の仲間は？」

「近くにナッシェタニアがいる。知っているだろ。ピエナの姫様で、〈刃〉の聖者だ」

「ナッシェタニア……そう、あの女も選ばれたのね」

　少女はなおも銃を下ろそうとしない。アドレットが敵ではないことは解っているはずなのに。冷たい目で、じっとアドレットを見つめている。少なくとも、これからともに戦う仲間に向ける視線ではない。

「ナッシェタニアと、これから会う他の連中に伝えて」

「……何を?」

「私の名はフレミー・スピッドロウ。〈火薬〉の聖者よ」

〈火薬〉の聖者。アドレットには耳慣れない言葉だった。神は万物に宿り、森羅万象《しんらばんしょう》の摂理を司るという。しかし、火薬にも神や聖者がいるとは聞いたことがない。

　だが、それよりも気になるのは、なぜそれを他の仲間に伝える必要があるのかだ。

「私はあなたたちとは同行しない。一人で魔神と戦わせてもらうわ。あなたたちの邪魔はしないから、私に関《かか》わらないで」

「何を言っている?」

「耳が悪いの? あなたたちとは別行動をとると言っている。この先私には関わらないで」

　アドレットは呆然《ぼうぜん》とする。力を合わせてこその六花の勇者ではないか。たった一人で何ができるというのだろう。

「正確に伝えて。それぐらいのお使いはできるでしょう?」

　そう言うとフレミーは銃を下ろし、後ろを向いて駆けだした。かなりの速さだった。

「おい、待て！」

待てと言われて待つわけがない。フレミーの姿はあっという間に見えなくなる。

「くそ！」

アドレットは周囲を見渡す。自分が乗ってきた馬が近づいてくる。懐からナイフを取り出し、鞍《くら》に『ナッシェタニア。仲間の六花に会った。彼女を追う。俺にかまわず目的地を目指せ』と刻《きざ》み込んだ。そして馬を村の外に向けて走らせる。

「待て！　どこに行ったフレミー！」

呼びかけても返事はない。アドレットは森の中へと走り出す。


森を走れば痕跡《こんせき》が残る。折れた枝、踏まれた木の葉、それらをたどれば、追跡はさほど難しくはないはずだ。山を登り、降り、アドレットは走り続ける。

だがフレミーの足跡はたびたび突然途切れる。痕跡を消しながら走っているようだ。逃走に慣れた人間の走り方だ。

「何なんだあいつ」

遠眼鏡《とおめがね》で辺りを探りながら、アドレットは呟く。かすかに動く人影を見つけ、そちらに向かって走り出す。

いっそ追跡を諦めて、元の場所に戻ることも考えた。置き去りにしたナッシェタニアのことも心配だ。しかしアドレットは、フレミーを追い続ける。戦士としての勘《かん》が告げている。フレミーを追わなければならないと、何かが心の奥で囁いている。彼女は絶対に、一人にしてはいけないと思うのだ。

森の中を走るフレミーの背中を見つける。どうやら、足の速さはアドレットの方が上らしい。これなら追いつける。

それから一時間ほど追いかけて、アドレットはようやく彼女の前に回り込んだ。

「………いい加減にしろ」

「………信じられない。追いつかれた」

二人は息を切らしながら睨み合う。フレミーが銃を抜き、アドレットに向けた。

「伝えるべきことは伝えたわ。もう追ってこないで」

「………なんだと？」

「これ以上追いかけてきたら、撃つわ」

アドレットの腹の底から、ふつふつと怒りがこみ上げてくる。さんざん身勝手なことを言った上、今度は撃つときたか。

「ふざけるなこの馬鹿。何を考えてるんだ？　魔神を一人で倒せるわけないだろう」

「邪魔よ。どいて」

「凶魔だっているんだぞ。六人全員が力を合わせなきゃ負けるに決まってるだろうが。それすらわからねえほど馬鹿か」

「私は一人で戦える。一人で勝てる。証拠がほしいなら、見せてあげるわ」

「ああ？　地上最強の男アドレットに何を見せるつもりだ？」

フレミーの指先が引き金にかかる。アドレットも背中の鉄箱を捨て、剣の柄《つか》に手をかける。ここで退《ひ》くわけにはいかない。

二人はしばし睨み合う。さすがにフレミーも、ここで戦いを選択するつもりはないらしい。どちらかが退くまでの我慢《がまん》比べだ。

「最低限、理由を言え。なぜ一人で戦うのか、その理由を全員に向かって話せ」

「できない」

「なぜ」

フレミーは黙り込む。

「何か言え」

答えは返ってこない。

「言っておくがな、俺はしつこいぞ。答えるまでお前につきまとうぞ。答えるからどこかへ行ってって言うまでつきまとうぞ。地上最強の男は、諦めの悪さも超一流だ」

「妙な男。何が地上最強よ」

「なぜ一人で行く。どうして他の六花に会わない。答えないと何もできないぜ」

ぎり、とフレミーが歯を嚙《か》み鳴らす。引き金にかかった指先が震える。そしてフレミーはうつむいて静かに言った。

「……他の連中に出会ったら、間違いなく私は殺される」

アドレットは言葉を失った。信じられない言葉だが、本気で言っているのもわかった。

「馬鹿な。同じ六花の勇者だろうが。大切な仲間をなぜ殺す」

「私は大切な仲間とやらの数には入れてもらえないわ」

「なぜだ」

フレミーの目が、ふいに冷たくなった。今までの睨み合いとはわけが違う。撃つ覚悟を固めた目だった。

「理由を言えば、あなたも私を殺そうとする」

アドレットは思った。これ以上踏み込めば、殺し合いになる。

「選択して。理由を聞いてから殺し合うか。理由を聞かずに殺し合うか」

「……………」

「それとも、黙ってこの場は引き下がるか」

アドレットは剣を鞘《さや》に戻した。そして地面の鉄箱を拾った。フレミーもほっとした顔で銃を下ろす。

「私は一人で魔神と戦う。あなたはあなたで勝手にして。できれば二度と会いたくない」

フレミーは銃をマントの中にしまい、背中を向ける。アドレットは悩んだ。このまま行かせていいのだろうか。絶対にだめだという、根拠のない決意がアドレットを動かした。猛然とフレミーに飛びかかった。

フレミーが振り向いた瞬間、煙幕《えんまく》弾を叩きつけた。煙の中でアドレットは、フレミーの荷物をもぎ取った。

「何をするの⁉」

「勝手にしろと言ったな。そうさせてもらったまでだぜ」

「……荷物を返して」

フレミーが再度銃を抜く。アドレットはもぎ取った荷物を胸に抱える。荷物の中身は銃弾や銃の手入れ道具だろう。携帯食糧《しょくりょう》や地図も入っているようだ。

「ふざけてるの？　それとも馬鹿なの？」

「馬鹿じゃねえし、ふざけてもいねえ。決めた。俺はお前について行く」

「……は？」

「そうと決まれば、さっそく行くぞ」

固まっているフレミーを尻目《しりめ》に、アドレットは歩き出す。

「何が決まったの？　荷物を返して」

困惑《こんわく》から怒りへと、フレミーの表情が変化する。指先が引き金にかかる。

「おっと、攻撃したら逃げちゃうぜ。お前の荷物を抱えたままで。そしたら困るのお前だぜ」

「……撃たれたいの？」

「それとも奪い返して逃げるか？　逃げ切れないってことは、さっきわかったはずだが」

「いったい何を考えてるの？」

アドレットは少し考える。そしてフレミーを諭《さと》すようにゆっくりと喋りだした。

「事情はさっぱりわからんが、お前はどうやらピンチらしい。独《ひと》りぼっちで魔神や凶魔の待つ魔哭領に向かっている。しかも他の六花に会えば殺されるらしい。世間《せけん》一般の基準では、これはピンチってやつだろう」

「だから？」

「俺はピンチの仲間を放っておけない性質《たち》なんだ。地上最強の男は優しいのだ。というわけで、俺はお前を助けてやることにした」

「……ふざけてるの？　ふざけてるならいい加減にして」

「つべこべ言うな。さっさと行くぞ」

銃を構えるフレミーを無視して、アドレットは歩き出す。

「……信じられない。何？　何なの？　何なのこの男」

頭を抱えているフレミーだったが、結局ついてくることにしたようだ。二人は無言のまま、森の中を歩く。

アドレットは思った。思いつきと成り行きまかせで動いてしまったが、本当にこれでよかったのだろうか。ナッシェタニアを置いてきてしまった。フレミーがいつ本気でアドレットを殺しに来るかもわからない。

ちらりと後ろのフレミーを振り返る。その表情には、困惑を通り越して恐怖すら浮かんでいる。まあいいだろう。どうにかなる。

「なあ、フレミー」

後ろを歩くフレミーに向かって語りかける。

「お前の事情は知らないが、とりあえず本気で俺はお前を守るつもりだぜ。お前はたった六人しかいない仲間の一人なんだからな」

「黙って歩いて。不愉快《ふゆかい》だから」

フレミーは顔をそらしながら、吐き捨てるように言った。


一方その頃、ナッシェタニアは凶魔と戦っていた。アドレットがフレミーと出会った村に彼女はいた。

『……………腹ア、減ッタ。肉、食イテエ、血、飲ミテエ！』

戦っているのは、狼《おおかみ》に似た巨大な凶魔だ。不完全ながらも人語《じんご》を話すのは、強力な凶魔である証《あかし》だ。ナッシェタニアの頬から、少し血が垂《た》れている。

前足を上げて押しつぶそうとする凶魔。その体を、地面から生えた刃が迎撃《げいげき》する。

『腹ァ………腹ァ！』

貫かれてなお、凶魔はのたうつ。ナッシェタニアは頬の血を細剣になすりつけた。細剣の刃を伸ばし、先端を凶魔の口にねじ込んだ。すると凶魔は、反吐《へど》を吐きながら身悶えた。

『聖者ノ血、食エネエ、聖者ノ血ジャ食エネエ！』

凶魔は人を食う。しかしナッシェタニアたち聖者の体は、凶魔にとって猛毒となるのだ。

「最初は怖かったけれど」

ナッシェタニアが呟く。そして虚空《こくう》から生み出した刃で凶魔を切り刻んでいく。

「だいぶ、凶魔との戦いにも慣れました」

凶魔は三つ四つに分断され、やがて動かなくなった。

戦いが終わると、ナッシェタニアは辺りを見渡す。周囲は静まり返り、凶魔の姿もアドレットたちの姿も見えない。

ナッシェタニアは憮然《ぶぜん》とした表情を浮かべている。地面に落ちていた馬の鞍を拾い上げ、刻まれている言葉を見る。

『ナッシェタニアへ。仲間の六花に会った。彼女を追う。俺にかまわず目的地を目指せ』

「……………どういうことなの？」

アドレットのいない村で、ナッシェタニアは首をかしげていた。

「追う、と言うことはその女の人は逃げているということでしょうか。どうして逃げているのかしら？　仲間の六花とは、どこの誰？」

ぶつぶつと呟きながら、村の中をまた見渡している。アドレットが残した遺留品《いりゅうひん》が他にないか探しているようだ。

その時、黒い馬が村に駆けこんできた。黒い馬には、黒い鎧に巨体を包んだ男が乗っている。彼を目にして、ナッシェタニアが叫んだ。

「ゴルドフ！」

男……………ゴルドフはナッシェタニアの側《そば》で馬を降り、地に膝をついた。そして兜を外し、頭を下げる。

「姫、遅ればせながら馳《は》せ参じました」

ゴルドフ・アウオーラ。その強さは、ピエナ騎士団随一《ずいいち》と言われる男だ。いかめしい面構《つらがま》えをしている。ナッシェタニアより年下とはとても思えない。

黒い鎧は重く頑丈である。兜には羊《ひつじ》の巻き角を模した意匠が施《ほどこ》されている。右手に大きな鉄槍《てつそう》を持ち、右の手首と柄《え》の部分を頑丈な鎖《くさり》でつないでいた。その姿はまさに堂々たる歴戦の猛者《もさ》だ。しかし表情のどこかに、まだ幼さが残っている。

「やはり来たのね。あなたは選ばれると思っていたわ」

ナッシェタニアが優しくゴルドフに話しかける。

「光栄であります」

「あなたを選んでくれた運命の神に感謝するわ。あなたがいれば恐れるものはないわ」

威厳《いげん》ある態度で、ナッシェタニアが語りかける。しかしその口調は、どこかぎこちない。アドレットと話していた時のような気易《きやす》さが、二人の間には存在しない。

「この身を賭《と》して、姫の御身《おんみ》を守らせていただきます。必ずや魔神を討ち果たし、姫を無事に国王のもとへ送り届ける所存《しよぞん》です」

その言葉に、ナッシェタニアが少し眉を曇らせる。

「………ゴルドフ」

「は」

「これからわたしたちは、対等な仲間よ。あなたが一方的にわたしを守るのではなく、互いに互いを守り合うの」

「ですが姫、あなたは特別な方です。あなたには万一すらあってはならない」

「……そう。わかったわ。そうね」

ナッシェタニアは、小さく首を振った。

「それより、困ってるの。さっきまで一緒にいた六花の仲間がどこかに行ってしまったのよ」

ナッシェタニアが馬の鞍を見せた。ゴルドフは文面を読み、首をかしげる。

「意味がよくわかりません」

「わたしもよ」

「これを書いた仲間というのは、どなたですか？」

「アドレット・マイアさんよ。知っているでしょう？」

その名を聞いた時、ゴルドフの表情が変わった。彼も武闘会の顚末《てんまつ》を聞いているのだろう。

「そんな顔しないで。彼は頼れる人よ」

「姫を置いてどこかに行っているのに、ですか？」

ゴルドフは鋭い表情を浮かべている。この場にいないアドレットを警戒するように。

「だからこれから探すのです。どっちに向かったのかしら」

馬の鞍の文面を見ながら、ゴルドフはしばらく考えている。ただアドレットの向かった場所を考えているだけではなく、何か思うところのある表情だった。

「アドレットも魔哭領に向かっているでしょう。そこへと進めば、合流できるかと」

「それしかないのかしら。でも心配だわ。大丈夫かしら」

ゴルドフは何も答えず、乗ってきた馬をナッシェタニアに差し出す。ナッシェタニアはそれを断り、アドレットが乗っていた馬に鞍をつけて乗り込んだ。

馬を街道に走らせながら、ナッシェタニアが言った。

「ゴルドフ。アドレットさんは良い人よ。かなり変な人で、あなたも最初は戸惑うと思うけれど。しばらく話せば仲良くなれると思うわ」

「……………はい」

「世の中は広いものなのね。わたしは旅に出てよかったと思ってるわ。アドレットさんみたいな不思議な人、王宮にいたら絶対に会えなかったもの」

「…………そうですか」

「それとね、もう一つ。からかうとすごく楽しいの」

そう言ってナッシェタニアがぺろりと舌を出して笑う。しかし、ゴルドフは複雑な表情を浮かべていた。その表情をナッシェタニアに見せないようにうつむいていた。

「失礼ながら、姫」

「何？」

「姫はその………アドレットのことを………」

何かを言いかけて、ゴルドフは口ごもる。うつむいたまま、長く黙りこむ。

「どうしたの。歯切れが悪いわ。しばらく会わないうちに、あなた少し変わったかしら」

「そうかもしれません。失礼いたしました。どうかお忘れください」

ナッシェタニアが首をかしげる。そのとき、手を打ち合わせて叫んだ。

「そうだわ。六花殺しはどうしたの？　何か手掛かりは見つかった？」

ゴルドフは馬上で首を横に振る。

「………恥ずかしながら、いまだ仕留めるには至《いた》らず。しかしその名前と、姿形、それに能力は把握《はあく》しております」

「手掛かりは摑んだのね。間違いのない情報？」

「はっ。情報源は、六花殺しと直接戦った人物です。嘘をつくとは思えない相手です」

「六花殺しは、どんな人なの？」

ゴルドフは、力のこもった声で言った。

「六花殺しは、〈火薬〉の聖者。銃を操る白髪の少女。名をフレミーと申す者です」

二章
六花集結

アドレットとフレミーは、魔哭領《まこくりよう》に向かって進んでいた。岩と小石の間にまばらに草が茂るだけの山道を、無言で歩いている。地図で確認した限りでは、あと二つ山を越えればいよいよ魔哭領が見えてくるはずだ。出会ってから六時間が過ぎ、日は高く昇《のぼ》っている。

「……なんか暑いな」

アドレットは前を歩くフレミーに言った。何も答えは返ってこない。

「この辺《あた》りは特別に暖かいのか？　何か知ってるかフレミー」

やはり答えは返ってこない。

「〈火薬〉の聖者ってのは聞いたことがないな。どんなことができるんだ？」

「…………」

「〈火薬〉の聖者なら爆弾を持ってないか？　いくつか分けてもらえるとありがたいんだが」

「…………」

「凶魔《きようま》を殺せる銃があるなんて知らなかったな。誰が造《つく》ったんだ？」

少しでも関係を改善するために、アドレットは何度も話題を振っている。そのたびに返ってくるのは石のような沈黙だけだった。

アドレットは苛立《いらだ》ちを覚え始めていた。第一印象の寂《さび》しげではかない雰囲気《ふんいき》はどこかへ吹き飛んでいた。自分勝手でふてぶてしい、わけのわからない女にしか見えない。

「何か答えろよ。俺を何だと思ってるんだ」

「あつかましくて無分別《むふんべつ》。始末に負えない馬鹿《ばか》男」

「ここだけ答えやがって……」

話しかける気も消え失《う》せる。アドレットも黙って歩くことにした。

ナッシェタニアはどうしているだろうと思った。魔哭領に向かっているといいが、もし自分を探していたら合流が遅れてしまう。それに一人にしておくのはやはり心配だ。

「ナッシェタニアが気になるなら、戻れば？」

アドレットの内心を見透かしたように、フレミーが言った。

「……いいや、彼女のことは心配しちゃいねえ。少なくともお前に比べればな」

ふん、とフレミーが不愉快《ふゆかい》そうに鼻を鳴らす。

「ナッシェタニアが選ばれるとは思わなかったわ。あなたといい、あの女といい、今回の六花《ろっか》は頼りにならないわね」

「そんなことはない。ナッシェタニアは未熟で経験不足だが、立派《りっぱ》な戦士さ」

「偉《えら》そうね。未熟とか経験不足とか」

「地上最強の男である俺にとっては、誰だって未熟だぜ」

「……馬鹿馬鹿しい」

そしてフレミーとアドレットは黙り込む。山を一つ越え、次の山を登り切れば魔哭領が見える。その山頂に近づいていた時、ふいにフレミーが言った。

「一つだけ、いいかしら」

突然の言葉に、アドレットは驚く。

「いずれあなたと殺し合うことになる。あなたがどう思おうが、必ずそうなる」

「………なんだ」

「頼みがあるわ」

「そんなことにはならない」

アドレットは断言するが、フレミーは首を横に振る。

「お願いよ。その時は手加減をして。私を斬《き》ることになっても、止《とど》めだけは刺さないで」

「なんだよその頼み。俺が聞きたいのは一緒に戦って欲しいって頼みだぜ」

「このぐらいの頼みなら、聞いてもらえると思ったわ」

「………」

「死ぬわけにはいかないのよ。この手で魔神を倒すまでは」

それだけ言って、フレミーはまた喋《しゃべ》らなくなった。アドレットもこれ以上言葉を続けられない。

死ぬわけにはいかない。その言葉には、強い決意が込められていた。しかしその背後に、アドレットは言いようのない悲しみを感じ取った。

アドレットはナッシェタニアのことを思った。彼女といると、気分が明るくなった。しかし、フレミーといると心が痛くなる。胸が締めつけられるような気持ちになる。

「………あれが魔哭領だな」

二人は山の頂上にたどり着いた。眼前に広大な景色が広がっている。

麓《ふもと》から海にかけて森が広がっていた。森の中央を、曲がりくねった細い道が貫《つらぬ》いている。その向こうには黒い海。海に突き出すように延《の》びているのがバルカ半島だ。別名を魔哭領、魔神と凶魔たちの潜《ひそ》む地だ。

アドレットは半島の根元の部分を指して言う。

「大陸と半島が接する場所、あれが俺たちの合流地点だ」

「あなたと、他の連中のね」

半島の全域は、ここからではよく見えない。大地はごつごつとした小山に覆《おお》われ、まばらに森や茂みが点在《てんざい》している。奇怪《きかい》なのは、半島全体が赤黒く染まっていることだ。

「すげえ色だな。あれが魔神の障毒《しょうどく》か」

魔哭領は、魔神の体から放たれる特殊な毒素に満ちている。人間以外の生き物には効果はないが、人間がその毒に触れればおよそ一日で死に至《いた》る。毒を防ぐ方法は一つしかない。六花の勇者に選ばれ、運命神の加護を得ることだ。

魔神の障毒がある限り、六花の勇者以外は魔神に近づけない。それさえなければたった六人で攻め込む必要もなくなるのだが。

「それで、どうするの？　他の六花には会いたくないわ」

フレミーは尋《たず》ねた。アドレットは山の麓を指差して言った。

「あの砦《とりで》、少し気になるな」

そこには小さな砦があった。半壊し、煙を立てているように見えた。

二人は山を降り、砦の前に着いた。砦は傷ついていたが、まだ中に人はいるようだ。

フレミーは頭からフードをかぶり、左手の紋章《もんしょう》を隠し、辺りを警戒《けいかい》している。アドレットは砦の弩弓《どきゅう》台に兵士が座っているのを見つけた。

「中に六花がいるなら、逃げるわ」

「……………わかった」

アドレットは頷《うなず》き、見張りの兵士に話しかける。

「失礼！　この中に六花の勇者はいるか？」

兵士は答えた。

「いえ、二日前に来られましたが、すでにここを出発しました！　あなたたちは？」

フレミーに目配《めくば》せする。とりあえず中に入っても問題ないらしい。

「アドレット・マイア。六花の勇者だ。こっちは……………まあ気にするな」

兵士は首をかしげながら、見張り台を下りて門を開ける。二人は砦に入った。アドレットは紋章を見せて、六花の勇者であることを証明する。

「よくぞ、来てくださいました、六花の勇者様。どうしても伝えねばならないことがございます。こちらにおいでくださいますか？」

「なんだ？」

「とても、重要なことです。この先の戦いの成否《せいひ》がかかっています」

アドレットはちらりとフレミーを見た。彼女も話を聞くつもりのようだ。

「ついてきてください。ああ、申し遅れました。私はグエンバエア軍上等兵、ローレンと申します。この砦の現在の指揮官です」

「指揮官？　あんたが？」

アドレットは思わず聞き返した。物腰を見ればかなりの強者《つわもの》だとわかる。しかし階級は低く、装備も粗末《そまつ》なものだ。

「皆、死にました。将軍も、隊長も。残っているのは私と下級兵だけです。ですが我々は最後の一兵になろうとも、守らなければならないものがあるのです」

ローレン上等兵の後について、二人は砦の中に入る。中は死臭《ししゅう》が漂っていた。多数の人の死体と、少数の凶魔の死体が散らばっている。外で見た以上に被害は甚大《じんだい》だった。

「こちらです」

砦の床の中心に、重い鉄の扉があった。それを開くと、中に地下室が続いている。どうやら砦は、この地下室を守るためにあるようだ。

ローレン上等兵に導かれるまま、二人は地下室へ入る。地中深くにある狭い部屋に、五人の兵士がいた。そして部屋の中央には、見たことがない形の祭壇があった。

「守るものってのは、これか？」

祭壇を指してアドレットが聞く。ローレン上等兵は首を横に振る。

「これは守るべきもののレプリカです。こちらの地図をご覧《らん》ください」

祭壇の前にあったテーブルに、魔哭領周辺の地図が広げられている。

「グエンバエア王は魔神の復活に備えて、六花の勇者を助けるための仕掛けをしておりました。我らはその仕掛けを守っています」

兵士は地図の大陸側に指を置いた。

「現在、凶魔の多くが六花の勇者たちを迎撃《げいげき》するために、大陸側へと侵攻しています。あなたがたもすでに戦ったかと思います。ですがこれらの凶魔は、六花の勇者たちが魔哭領に入ったとわかれば、転進して魔哭領に戻ってきます。彼らの目的は六花の勇者たちを全滅させること。それ以外は、眼中にありません」

「なるほど」

「そこで、グエンバエア王は六花の勇者が魔哭領に入ったのち、半島の入口を封鎖《ふうさ》する仕掛けを、極秘《ごくひ》のうちに建造しました」

そう言って兵士は、魔哭領と大陸の境を指差した。

「王は〈霧《きり》〉の聖者と〈幻《まぼろし》〉の聖者、そして〈塩〉の聖者の力を借り、この森に凶魔の出入りを封じる強力な結界《けっかい》を張ったのです。名は霧幻《むげん》結界」

地図には、魔哭領の入口付近に大きく円が書かれている。これがその結界の範囲だろう。

凶魔は海を渡れない。船を出そうにも、魔哭領の海岸は岩に覆われ、船を接岸できる場所がない。空を飛べる凶魔もいるが、ごく一部だ。この円の範囲を封鎖すれば、かなりの凶魔を足止めできる。

「すごい計画だ。それでどんな結界なんだ？」

「中に入れず、外に出られない。それのみを目的とする結界です。発動と同時に、結界の中は霧に覆われます。霧の外に出ようとすると、方向感覚が狂い、いつの間にか中に戻ってしまうのです。逆に霧の中に立ち入ろうとしても、同じく外に出てしまいます」

「知らなかったな。こんなものを作っていたのか」

フレミーをちらりと見る。表情を見る限り、彼女も結界のことを知らなかったようだ。

「まだ結界は作動していません。六人全員が魔哭領に突入したのを確認してから、我々が結界を作動させます」

「どうやって作動するんだ？」

「この地点に」

ローレン上等兵は、砦からやや離れた地を指差した。

「結界作動のための神殿があります。神殿は〈塩〉の聖者が建造した凶魔を防ぐための防壁で囲まれています。凶魔に破壊される心配はありません」

話を聞きながら感心する。なんとも壮大《そうだい》な計画だ。

続いてローレン上等兵は、地図の魔哭領の入口付近を示した。

「六花の勇者の一人である、〈山〉の聖者モーラ様がここで待機しています。モーラ様は二日前にこの砦を訪れました。その時我々が結界について伝え、話し合いを行いました」

六花の勇者が待機している。その言葉に、フレミーがかすかに表情を曇《くも》らせた。

「それで」

「六人全員がここに集合したら、モーラ様が烽火《のろし》を上げて合図を送る手はずになっています。烽火を確認したら我々が神殿へ向かい、結界を作動させます。もしも六花が集合する前に我々が凶魔に襲《おそ》われ、全滅するような場合には此方《こちら》から烽火を上げます」

「なんのために？」

「………その時は、六人の誰かが神殿に向かい、結界を作動させてください。モーラ様と話し合った結果、そういう結論に達しました」

「………」

アドレットは沈黙した。話を聞く限りでは結界を作動させた人は、外に出られなくなってしまうはずだ。つまり六人のうち一人が戦線離脱するということだ。しかし六花の一人を失ってでも、この結界は張る価値があるように思える。

「神殿の中には、これと同じ祭壇があります。ご覧ください」

ローレン上等兵に促《うなが》され、アドレットは祭壇のレプリカの前に立つ。祭壇は簡素《かんそ》なものだ。中央には台座と一本の宝剣。その左には石板、そして右側には神言《しんごん》の書かれた書物がある。

「結界は簡単に作動します。剣を台座に突き立て、石板に手を置いて『霧、立ち上れ』と告げるだけです」

「了解した。覚えておく。だけど、結界を作動させるのはあんたらの仕事だぜ」

「わかっております。この命にかえても、任務を果たしてみせます」

アドレットはローレン上等兵に手を差し出した。ローレン上等兵は笑いながら握手を受けた。二人はがっしりと手を握り合った。

アドレットたちは砦を出て、魔哭領に向けて進んだ。集合地点まではあと三時間ほどの距離だ。そこでは〈山〉の聖者モーラが待っているらしい。

「困ったことになったな」

アドレットは言った。フレミーは砦で結界の話を聞いてからずっと黙りこくっている。

「モーラは魔哭領の入口で待ってるそうだ。ナッシェタニアも合流してる頃かもな。こいつらに気づかれずに、魔哭領に入るってのは難しそうだぜ」

「話しかけないで。考えてるの」

アドレットは肩をすくめる。

「なあ、とりあえず一度合流しないか？　それからどうするか考えようぜ」

「冗談でも笑えないわ。他の六花に会ったら殺し合うことになるのよ」

アドレットには、そんなことになるとは思えない。たった六人しかいない仲間なのだ。過去にどんな経緯《いきさつ》があったにしろ、ひとまずは水に流して手を組むはずではないか。アドレットはどんな悪党でも、魔神を倒すためなら仲間と認めるつもりでいる。

「もちろん、むざむざ殺されるつもりはないけれど」

「心配するな。もし殺し合いになったら、俺が守ってやるよ」

冗談めかして言った。どうせふざけないでと突っぱねられるだろうと思っていた。しかし、フレミーの様子は少し違った。

「……アドレット。あなたは」

初めて、フレミーに名前を呼ばれたような気がする。

「あなたは優しい人なのね」

そう言われ、アドレットは照《て》れる。顔が少し赤くなる。ようやく態度が軟化《なんか》したかと思ったが、次の瞬間、フレミーは背筋《せすじ》が寒くなるような眼《め》をした。

「私に優しさを向けないで。殺したくなるわ」

何を言ってるんだ、と言いかけた。しかしその前に、アドレットはフレミーを突き飛ばした。背後からの殺気を感じ取ったからだ。

フレミーのいた場所に、白い刃が突き立った。アドレットが振り返ると、森の中にナッシェタニアがいた。

「アドレットさん、その人から離れてください！」

フレミーが起き上がり、抜き打ちで銃を放つ。銃弾は地面から生《は》えた刃《やいば》に止められる。さらに森から、黒い鎧《よろい》を着た巨漢の騎士がフレミーに向かって突撃してきた。アドレットはその前に立ちはだかり、槍《やり》の一撃を剣でそらす。

「待て、やめろ！　攻撃するな！」

アドレットが叫ぶ。しかしナッシェタニアも巨漢の騎士も聞く耳を持たない。

「どけと言っている！　聞こえないのか！」

「何なんだよいったい！」

ナッシェタニアが、さらにフレミーに攻撃を加える。フレミーは銃でナッシェタニアを狙《ねら》いながら、地面から生える刃をかわしていく。背後からフレミーを攻撃しようとする騎士を、アドレットが止める。

「何を驚いているの。会えば殺し合いになると言ったはず」

フレミーが軽蔑《けいべつ》したように言う。アドレットにもそれはわかっていた。しかし、もう少し話しあいの余地があると思っていた。

「邪魔だ、アドレット」

巨漢の騎士が槍の柄《え》を振りまわす。なぜ名前を知っているのかと思ったが、考えている暇《ひま》はない。槍の柄を剣で受けたが、その剣ごと吹き飛ばされた。しかし吹き飛びながらも、握っていた砂を騎士の目に叩《たた》きつける。

それを好機と見たのか、フレミーが銃口を巨漢の騎士に向けた。アドレットは剣で小石を弾《はじ》き、フレミーの手首に当てた。

四人はめまぐるしく動き回る。ナッシェタニアと騎士がフレミーを狙い、フレミーは容赦《ようしゃ》なく反撃する。両方の攻撃をアドレットが必死に止める。

「アドレットさん！　なぜ邪魔をするのです！」

しびれを切らしてナッシェタニアが叫んだ。アドレットはより大きな声で怒鳴り返す。

「全員止まれ！　そいつは敵じゃない！　六花の勇者の一員だ！」

「え、今、何と？」

フレミーとナッシェタニアが止まる。騎士がナッシェタニアを守るように前に立つ。アドレットは三人の真ん中に割り込んだ。

「そいつの左手を見ろ。そいつは六花の勇者だ。敵じゃない」

ナッシェタニアと巨漢の騎士が、フレミーを見る。左手にある紋章に気づいて、息を呑《の》む。しかし二人とも武器を下ろそうとはしない。

「ど、どういうことなの、ゴルドフ」

ナッシェタニアが巨漢の騎士……ゴルドフに向かって尋ねる。

「事情はわかりません。はっきりしているのは、フレミーが敵ということのみです」

ゴルドフが答え、槍の先端をフレミーに向ける。

「おい、そこでかいの。お前の入れ知恵か。どういうつもりだ」

アドレットが聞く。ゴルドフは質問に答えず、アドレットを睨《にら》みつける。

「……お前がアドレットか。姫を置いてどこで何をしていた」

「質問に答えやがれ、さっきから腹の立つ奴《やつ》だな」

アドレットとゴルドフが睨み合う。ナッシェタニアが後ろからゴルドフをなだめる。アドレットは場をとりなすため、ことさら静かにゆっくりと喋りだす。

「まず聞くぞ。ナッシェタニア。なぜフレミーを攻撃するんだ。フレミーは仲間だぞ」

「違うのです、アドレットさん、その女の子から離れてください」

「頼む、質問に答えてくれ。俺は今わけがわかっていないんだ」

「……………アドレットさん。信じられないかもしれませんが、その少女は六花殺しの犯人です」

アドレットは、フレミーの顔を見た。フレミーは動揺するでもなく、銃を構えてナッシェタニアを睨んでいる。

「六花殺しだと？　何を言ってる？」

「そこのゴルドフが手に入れた、確かな情報です」

ゴルドフがはっきりと頷いた。

「……………フレミー」

もう一度フレミーの顔を見た。嘘《うそ》だろうと、アドレットは思った。しかしフレミーはさも当然のごとく答えた。

「その通りよ」

「……………な、んだと」

「言ったはず。理由を言えば殺し合うことになると」

フレミーは銃口を向ける先を、ナッシェタニアからアドレットに変えた。

「嘘、だろ」

「事実よ。マトラ・ウィチタ、フーデルカ・ホリィ、アスレイ・アラン。その他にも何人か、六花に選ばれる力を持った戦士を殺したわ。そこのゴルドフやナッシェタニアも、抹殺《まっさつ》候補に挙がっていた。あなたのことは眼中になかったけれど」

アドレットはナッシェタニアと話したことを思い出す。

「リウラも………〈太陽〉の聖者もお前が殺したのか？」

フレミーはかすかに戸惑《とまど》いの表情を浮かべる。

「〈太陽〉の聖者リウラ？　………それは知らないわ。抹殺候補の一人ではあったけれど」

「そんなことはどうでもいいでしょう。アドレットさん、危険です、こっちに来てください」

ナッシェタニアが言う。しかしアドレットは、フレミーから目を離さない。

「何のためだ。何のために六花候補を殺したんだ」

「決まっているでしょう？　魔神を復活させるためよ。強い戦士をことごとく殺せば、六花に選ばれるのは雑魚《ざこ》ばかりになるわ」

アドレットは言葉を失った。ゴルドフが怒りを込めた声で言った。

「これでわかっただろう。その女………フレミーは敵だ」

ナッシェタニアとゴルドフが、左右に分かれる。フレミーを挟《はさ》んで迫っていく。アドレットは動けなかった。六花殺しの犯人で、六花の紋章を持つ勇者。どちらも歴然たる事実ならば、どちらを信じればいいのだろう。

その時アドレットの脳裏《のうり》に、フレミーの言葉が浮かんだ。

「………だめだ！」

アドレットはフレミーをかばって立つ。

「…………アドレットさん。なぜ」

　これでよかったのかと、アドレットは悩む。しかしフレミーは、魔神を殺すまでは死ぬわけにはいかないと言った。その言葉に嘘はないと信じる。

「いいかナッシェタニア、ゴルドフ。よく聞け。六花の勇者は、強さだけが基準で選ばれるわけじゃないいんだ。意志、必ず魔神を倒すっていう気持ちも評価されるんだ。いくら強くたって、魔神の味方をしようとする人間が、六花の勇者に選ばれるわけがない」

「ですが彼女は」

「フレミー。お前は今、魔神を蘇らせようとは思っていない。そうだな」

　フレミーは頷いた。

「何か理由ができたんだな。蘇らせようとしていた魔神と戦う理由が」

「…………そうよ」

　アドレットはナッシェタニアの方を向いて、両手を広げる。

「わかるかナッシェタニア。確かに彼女は六花殺しの犯人だ。だが今は事情が変わったんだ」

「それを信じるんですか？」

「俺は彼女を信用する。俺にはわかる。フレミーの魔神を倒さんとする気持ちは本物だ。かつて六花の敵だったとしても、今は間違いなく味方だ」

「…………ですが」

「これ以上やるってんなら、フレミーの味方につくぞ」

ナッシェタニアはしばらく考える。その時ゴルドフが言った。

「失礼ながら申し上げます。姫、アドレットは本当に頼れる人物なのですか？」

「さっきから突っかかってくる奴だな。何のつもりだ」

「俺は、姫を守るためにここにいる。姫を危険にさらす者は、それだけで敵だ」

「そうかい。でも今はナッシェタニアに剣を収めるように頼んでくれ」

「アドレット。姫を呼び捨てにするな」

怒りを露《あらわ》にするゴルドフを、ナッシェタニアが制する。

「あなたたちがもめてどうするの。わかりました、アドレットさん。そこまで言うなら仕方ありません。ゴルドフ、この場はアドレットさんの言うとおりにしましょう」

ナッシェタニアが剣を収めた。ゴルドフもしぶしぶ警戒を解く。アドレットは安堵《あんど》のため息をつく。

「ですが……気をつけてください。あなたは騙《だま》されやすい人なんですよ」

「大丈夫だ。俺は地上最強の男だぜ。騙されることはない」

「不安です、とても」

アドレットはフレミーの方を見た。

「とりあえず、お前も銃を下ろせ。殺される心配はなくなったんだからな」

「……ひとまずは、だけどね」

そう言ってフレミーは銃を下ろし、腰に収めた。

「フレミーさん。言っておきますが、あなたを信用したわけではありません。アドレットさんを信用したのです」

「おめでたい女ね。こんな男が信用できるの」

互いに武器を下ろしても、ナッシェタニアとフレミーの間には、一触即発《いっしょくそくはつ》の空気が漂っている。一方ゴルドフは、アドレットを敵意のこもった目で見据《みす》えている。

強烈な不安をアドレットは覚える。六花の勇者はこの先、まともに魔神と戦っていけるのだろうか。


とりあえず四人は、共にモーラの待つ地点に向かうことにした。フレミーは同行することを了承《りょうしょう》したので、アドレットは奪っていた荷物を返した。

四人は森の道を歩き出す。ナッシェタニアとゴルドフが固まって歩き、アドレットは少し離れている。フレミーは三人からさらに距離をとっている。互いの心の隙間《すきま》を示すような位置だ。

「なあ、フレミー」

「何よ」

「助けてやったんだからよ、礼ぐらい言ってもいいんじゃねえか？」

「感謝する理由はないわ」

冷たいフレミーの言葉に、アドレットは肩をすくめる。その時ナッシェタニアが、声をひそめて話しかけてきた。

「……アドレットさん」

「どうした」

アドレットは聞き返すが、返事は冷たい視線だけだった。

「置き去りにしてすまなかった。だけど仕方なかった。あいつが逃げるのが悪いんだよ」

なおさら冷たい目で睨まれる。アドレットは身をすくめる。

「たった半日で、ずいぶん仲良くなったみたいですねえ」

「なんだよその言い方」

ナッシェタニアは口元に手を当て、いたずらっぽい笑みを浮かべた。今までの彼女と違うのは、目に本物の悪意がこもっている点だ。

「どうしてあの人をかばうのかと思ったら、なるほど、そういった事情でございますか。たしかにフレミーさんは、たいそう綺麗《きれい》な方ですものねえ。うらやましいことですわ」

「……おい」

「ええ、ええ、わかっておりますよ。世の中の殿方《とのがた》は、ああいう守ってあげたくなるような女の子が好きなのでしょうね」

「あのなあ、ナッシェタニア」

「はいはい、お二人でよろしくやってくださいませ。ふん」

さんざん嫌味を言って、ナッシェタニアはアドレットから離れる。

「……お前ほんとに姫か？」

「よく聞かれますけど、そうですよ」

そう言ってナッシェタニアはそっぽを向いた。なんなんだよ。心の中で、そう呟かずにはいられない。

四人の間に流れる空気が重い。フレミーは完全に無視を決め込んでいる。ゴルドフはアドレットがナッシェタニアと話すのを不愉快そうに見つめている。モーラという人物が待つ地点まで、ずっとこの空気かと思うと、アドレットは陰鬱《いんうつ》な気分になる。

それにしても、このゴルドフという男はなぜアドレットを睨んでいるのだろう。アドレットは側《そば》に近づき、話しかけてみることにした。

「よう、ドタバタしてろくに挨拶《あいさつ》もできなかったが、これからよろしく頼む。俺は地上最強の男アドレット・マイアだ」

「……………ああ」

ゴルドフの口調には、明らかに嫌悪がこもっている。

「六花殺し……………フレミーを追っていたんだってな」

「そうだ」

「釈然《しゃくぜん》としない気持ちは解《わか》るが、今はこらえてくれ。少なくとも事情が判《わか》るまでは」

「何を言っている。俺は姫の言葉に従うだけだ」

妙だな、とアドレットは思った。フレミーのことで怒っているわけではないらしい。だとすると、こいつはなぜ俺を嫌っているのだろう。

「武闘会では悪いことをした。お前の先輩を怪我《けが》させちまった。謝らなきゃと思ってたんだ」

「別に、謝ることではない」

理由はこれでもないようだ。だとしたら何が原因だろう。考えていると、ゴルドフの方から話しかけてきた。ナッシェタニアに聞こえないよう、ぼそりと囁《ささや》くように言った。

「……アドレット。どうやって姫に取り入った」

その一言で、ピンと来た。アドレットはナッシェタニアとゴルドフの顔を交互に見比べた。さてはこの男。

「なんだ？　姫が俺と仲良くしてるのが心配か？」

「し、心配も何も……」

「安心しろよ。お前が思ってるようなことはないぜ。つまらねえこと気にしていると、姫に馬鹿にされちまうぜ」

「……う、何を言っている。馬鹿を言うな」

わかりやすい男だ。ナッシェタニアと仲良くしているのが気に入らないだけらしい。外見はそう見えないが、まだ十六歳かそこらなのだ。内面はまだまだ子供なのだろう。

「がんばって姫を守ってくれ。道中いろいろ話をしたが、姫は本当にお前のことを頼りにしているみたいだ。姫を守れるのはお前だけさ」

「当然だろう。俺だけだ」

歯の浮くようなお世辞《せじ》だったが、ゴルドフはまんざらでもなさそうな顔をした。扱《あつか》いやすくて助かる。フレミーやナッシェタニアとは大違いだ。

「……しかし、敵が来ないな」

ゴルドフが呟いた。確かにそうだな、とアドレットは思った。

あまりにも平和すぎる。凶魔たちの潜む魔哭領はすぐ近くだと言うのに、なぜこんな馬鹿話を続けていられるのだろう。だんだん不気味に思えてきた。

その時、ずっと黙って歩いていたフレミーが声をあげた。

「妙ね」

三人が振り返ると、フレミーは後ろを向いて空を見上げていた。

「さっきから、飛行性の凶魔が後方上空を旋回《せんかい》しているわ」

アドレットは懐《ふところ》から遠眼鏡《とおめがね》を取り出し、フレミーの言った方向を見た。確かに鳥のような生き物が数体、空を旋回している。

「数も少ないし、大したことではないでしょう」

とナッシェタニアが言う。

「たしか、あっちは……」

アドレットは目測で凶魔たちとの距離を測り、頭の中の地図と照らし合わせる。

「まずいぞ。あれは、霧幻《むげん》結界の神殿があるところだ」

四人の間に緊張が走る。ローレン上等兵の話では、結界には凶魔は近づけないようになっているはずだが、それでも憂慮《ゆうりょ》すべき事態だ。アドレットはフレミーを見て言った。

「ここから狙えるか？」

「難しいわ。もう少し近づかないと」

「………何か落としたぞ」

ゴルドフが呟いた。見ると、凶魔たちは口から何かを吐いているようだ。次の瞬間、轟音《ごうおん》とともに煙が上がった。

「アドレットさん、あれはいったい！」

ナッシェタニアが言う。

「爆弾だ。凶魔が神殿に爆弾を落としている」

「爆弾？　そんな馬鹿な」

驚いているのはアドレットも同じだ。凶魔の中には知恵のある者もいるが、爆弾を作る技術や原料があるとは考えられない。ナッシェタニアがフレミーを見て言った。

「あなた〈火薬〉の聖者でしたね。まさかあなたの仕業《しわざ》ですか？」

「知らないわ」

「とにかく行くぞ！」

四人はもと来た道を駆けだした。神殿までは、全力で走れば十五分程度の距離だ。

しかし五分も走ったころだろうか。道に凶魔が横一列になって立ちはだかっていた。さっきここを通り過ぎた時は、凶魔など影も形も見えなかった。明らかに、四人を足止めする構えだった。ナッシェタニアが叫んだ。

「このまま突破しましょう！　ゴルドフ！」

　その声にこたえるように、ゴルドフが身を縮《ちぢ》める。そして巨大な弾丸のように凶魔の一体に向かって突撃した。槍にねじる力を加えながら体重を乗せて突き出した。狙いは虫の頭を持つ熊《くま》に似た凶魔。おそらく十倍近い体重差の敵が、後方十メートルも吹き飛んだ。

　その隙間《すきま》を突破しようとゴルドフが走る。しかし横にいた虎《とら》の凶魔が叫んだ。聞き取りづらいが、確かに人間の言葉だった。

『キ、タ。ハ、ハサ、メ！』

　一列に並んでいた凶魔が、一斉《いっせい》に先頭のゴルドフに襲いかかる。

　焦《あせ》りすぎだぜ、とアドレットは思った。これでは左右から包囲してくれと言っているようなものだ。この凶魔は、前に蹴散《けち》らした連中とはわけが違う。人語を理解し、ある程度の作戦を立てる知能もある。かなりの年を生きた成体の凶魔だ。

　ゴルドフが左右から襲いかかる凶魔を蹴散らす。ナッシェタニアがゴルドフの背中を守りながら、倒れた凶魔に止《とど》めを刺していく。アドレットやフレミーも、前後左右から凶魔に襲われる。アドレットは背中の鉄箱を投げ捨てて応戦する。

　戦いは混戦になった。これでは包囲を突破して神殿に向かうのは不可能だ。

「アドレットさん。神殿に向かってください。ここはわたしたちが引き受けます！」

　ナッシェタニアが狼《おおかみ》の凶魔の攻撃を防ぎながら言った。

「ああそうだな。やっぱりピンチを切り抜けるのは俺の役目か！　おいフレミー、ゴルドフ、よく見てな。地上最強の男は俺だ！」

「そういうのはいいですから早く！」

別にふざけているわけではなく、喋りながら打開策を考えているのだが。

「ナッシェタニア、ゴルドフ、フレミー！　神殿の方向を全力で攻撃しろ！」

ナッシェタニアとゴルドフが頷く。フレミーは無表情だが、一応了承したようだ。

ゴルドフが槍の突きで、一体の凶魔を吹き飛ばした。その背後にいた凶魔が、ナッシェタニアの刃に貫かれる。アドレットの前にいた凶魔がフレミーの銃弾で撃ち抜かれる。

「完璧《かんぺき》だぜ！」

アドレットはナッシェタニアが生みだした刃の腹の上を走った。襲いかかってきた最後の凶魔は、毒の吹き矢で怯《ひる》ませた。アドレットは包囲を抜けて、神殿に向かって突き進む。

「頼みましたよ！」

「まかせろ！」

追撃《ついげき》は指示を出すまでもなく、ナッシェタニアたちが食い止めてくれている。追いかけてくる凶魔はいない。伏兵《ふくへい》もどうやらいないようだ。

十分ほど全力で走った。戦いの音が遠ざかり、やがて森が開け、神殿の姿が見えてきた。

「あれだな」

アドレットは立ち止まり、神殿の様子をうかがった。爆撃していた凶魔たちはすでに去ったようだが、火薬の臭《にお》いはまだ濃厚に残っている。

神殿は、案外小さなものだった。ごく平凡《へいぼん》な家ぐらいの大きさだ。しかし石壁は恐ろしく頑《がん》丈《じょう》に造られている。

建物全体が、二十本ほどの白い柱に囲まれていた。この柱が〈塩〉の聖者が造った凶魔を追い払う防壁だろう。周囲には凶魔の多種多様な足跡《あしあと》があるが、柱に囲まれた中には一つもない。凶魔はこの塩の柱の中には入れないようだ。

塩の柱は爆撃で一部が欠けている。神殿にも焦《こ》げ跡がついている。しかし致命的な打撃ではない。被害はなしかと思ったその時、アドレットは人影を見つけた。塩の柱の側に、一人の女性が倒れていた。

「おい、どうした！」

アドレットは駆け寄る。神官の服を着た女性だ。背中部分が、ひどく焼け焦げていた。

「しっかりしろ、今手当てをする！」

アドレットは女性を抱え起こす。

「安心しろ！　傷は深くねえ！」

腰の小袋から薬を探す。

「………は、やく」

女性が指を神殿に向けて言った。

「今はいい！　動くな」

「早く、急いで、間に合わない、お願いだから、全《すべ》てが………」

アドレットは歯嚙《はが》みする。手当てをしようにも薬がない。鉄箱を持ってくればよかったと思った。あの中になら包帯も火傷《やけど》の当て布もあった。

「あたしは大丈夫よ……これでも……聖者だから」

「死ぬなよ！」

女性を優しく横たえ、アドレットは塩の柱を抜けて神殿の前に立つ。

扉は頑丈な鍵《かぎ》で閉ざされていた。アドレットは鍵穴に剣を指し込み、強引にひねる。しかし鍵はびくともしない。

「くそ、鍵がかかってるとか聞いてねえぞ！　あんた鍵は！」

女性に向かって叫ぶ。女性は首を横に振った。アドレットは小袋から爆薬を取り出し、粘着剤で鍵に取りつけ火をつける。

爆音とともに扉の鍵が吹き飛んだ。その時、扉の中から二人の兵士が現れた。刃の生えた全身鎧の兵士たちが、アドレットに襲いかかってきた。

「なんだお前らは！」

兵士は一直線に向かってくるが、動きはさほど速くはない。秘密道具を使うまでもなく、剣の柄《つか》で頭を殴りつけて倒す。兜《かぶと》が落ちると、中身は空《から》だった。

「何だってんだ」

どういうことなのか、神官服の女性に聞こうとした。そのときけたたましい笑い声が上がった。

「アキャキャキャキャキャキャキャ！」

倒れていた女性が身をくねらせて笑いだした。その体が、ぐにゃりと曲がった。額《ひたい》から一本の角《つの》が生え、細身の醜《みにく》い猿《さる》のような姿に変わっていく。

アドレットは知っている。変形型の凶魔だ。人間や動物に化けることができる凶魔が、ごく少数ながら存在すると師匠《ししょう》が言っていた。

「てめえ！」

変形型の凶魔はすぐさま逃げだした。アドレットは追いかけようとするが、すぐに立ち止まる。今は神殿の様子を見る方が先決だ。

そう思い直したアドレットが再度神殿の方を向いたその時。

「………何だ？」

ぞくりと怖気《おぞけ》が走った。全身が水の中に落とされたように、一気に空気が冷たくなった。

そして、地面からゆっくりと霧が立ち上ってきた。足元から胸へ、胸から頭へ、そして瞬《またた》く間に辺り一面、霧に覆われた。

アドレットはローレン上等兵の言葉を思い出す。

『結界が発動すると、森全体が霧に覆われます』

全身が震えだした。理性より先に体の方が、危機を察知《さっち》していた。

『結界が発動したら、もはや中に入ることはできません』

アドレットは神殿の中に入った。狭い神殿の、中央部分に据《す》え付けられた祭壇を見た。

『そして、中の者が外に出ることも。これは凶魔にも人にも同じように作用します』

神の力を込めた石板に手を添えながら、宝剣を台座に突き立てれば結界は発動する。ローレン上等兵からそう聞いていた。

そしてアドレットは見た。その宝剣が台座に突き刺さっているのを。

「………俺は、動かしていないぞ」

アドレットは呟いた。

「誰だ!?　結界を作動させたのは誰だ!?」

神殿の外に駆けだした。叫びながら辺りを回った。凶魔を引き寄せる笛《ふえ》を吹き鳴らし、遠眼鏡を振り回すようにして周囲を見た。

「アドレットさん！」

しばらくして、ナッシェタニアが血相《けっそう》を変えて走ってきた。ゴルドフとフレミーも遅れてやってきた。

「何があったのです!?　なぜ結界を発動させたのですか!?」

初めて聞く、ナッシェタニアの怒鳴り声。アドレットは呆然《ぼうぜん》としながら答えた。

「………違う。俺じゃない。誰かが結界を作動させて、それから一瞬で消えたんだ」

「嘘でしょう」

「嘘じゃない。一瞬で、本当に一瞬で消えたんだ」

ナッシェタニアが、唇《くちびる》を震わせた。ゴルドフが目を見開いていた。フレミーまでもが、言葉を失っていた。

まさか、閉じ込められたのか。

「ともかく中へ！」

四人は神殿の中に駆けこんで行く。

ナッシェタニアは何が起きているのかわからない顔で、宝剣が突き立った台座を見つめている。宝剣に手を添えてみて、石板と台座を確認し、それから絞《しぼ》り出すような声で言った。

「結界は、作動してます。信じられません。誰がやったのですか？」

「わからねえ。悪いが、何が起きたのか全くわからねえ」

アドレットは首を横に振る。

「ともかく、結界を解除します。失礼」

そう言ってゴルドフが、祭壇に近づいた。剣を台座から引き抜く。しかし周囲に立ち込めた霧に変化は見えない。

「だめなのか？　姫、結界を解除する方法を知りませんか？」

「わたしにもわかりません。何か方法は……」

そこにアドレットが割り込んだ。

「ちょっと貸してくれ」

「何か知っているんですか？」

「先代の六花の勇者が、似たような結界を作ったことがあった。その時は確か、こうやって結界を解除したはずだ」

アドレットは剣の刃を手でなぞった。剣に血が垂《た》れ、台座を濡《ぬ》らす。

「結界解除」

宣言するが、やはり何も起きない。今度はナッシェタニアが剣を掴《つか》む。

「結界の解除です！　結界を解きなさい！　止まりなさい！　霧を止めて！　わたしが結界の主《あるじ》になるわ！」

適当な言葉を次々に叫ぶ。やはり結界は解除されない。ついにしびれを切らしたのか、細剣《さいけん》の柄で台座や石板を殴り始めた。剣が欠け、石板が割れた。

「落ち着きなさいナッシェタニア。闇雲《やみくも》にやっても意味がないわ」

後ろでフレミーが、冷たい声で言った。

「砦《とりで》にいたローレン上等兵が近くにいるはずよ。爆発が起きたのだから、動いているはず」

「………そうですね。す、すみません」

ナッシェタニアが恐縮《きょうしゅく》する。

「ゴルドフ、あんたは神殿を守ってくれ。フレミーもだ」

アドレットとナッシェタニアは神殿を出て、ローレン上等兵を探し始めた。

三十分ほども探しただろうか。アドレットたちはなんの収穫《しゅうかく》もなく、また神殿に戻ってきた。

ローレン上等兵たちはこちらに来ていないのか。それともすでに凶魔に殺されてしまったのか。

「どうする。このままじゃ、先に行ったモーラって人が孤立しちまうぞ」

「それよりも、わたしたちがここから動けません」

四人は顔を突き合わせて、打開策を検討する。しかし誰からも、名案は浮かんでこない。

「何の騒ぎかな？」

その時、神殿の外から声がした。壊れた扉の前に一人の少女が立っていた。

歳《とし》のころは十三か十四だ。フリルのついたチェック柄のドレスに、道化の帽子をかぶった不思議な風体《ふうてい》の少女だった。手には猫じゃらしを持っている。

肩から斜《なな》めにポーチと水筒をかけている。まるで、ピクニックの途中で迷い込んだような姿だった。

「あ。この間のでっかい人だ」

少女はゴルドフを見て言った。

「六花殺しは見つかったかな？　そっちは確かピエナの姫さまだね。六花に選ばれたのかな？」

今度はナッシェタニアを見て言う。状況が判っていないのか、まるで緊張感のない口ぶりだ。

「誰だ？」

アドレットが尋ねる。少女はにっこりと笑って言った。

「はじめまして。変なベルトの人。〈沼《ぬま》〉の聖者、チャモ・ロッソだよ。チャモは六花の勇者に選ばれたんだ」

そう言って少女……チャモ・ロッソはスカートの裾《すそ》をめくった。細い太ももに、六花の紋章が刻《きざ》まれていた。

「こんな、子供だったのか」

アドレットは呟いた。〈沼〉の聖者チャモ・ロッソ。戦いに生きる者なら知らない者はいない名前だった。その力はナッシェタニアをはるかに超えると聞いている。当代最強とも、一輪《いちりん》の聖者を除けば史上最強とも謳《うた》われている少女だ。どんな力を使うのか、アドレットはよく知らない。まさかここまで幼《おさな》いとは思っていなかった。

「あなたは誰？」

チャモがアドレットに問いかける。

「俺か。俺は地上最強の男アドレット・マイア。お前と同じく六花の勇者に選ばれた」

「……地上最強？　それはチャモのことじゃないの？」

「一般的にはそう言われているみたいだが、実際には違う。本当の地上最強はこの俺だ」

「何を言ってるのかわからないや」

チャモは首をかしげる。アドレットは冗談めかして言う。

「謝らなきゃいけないな。お前が持ってる地上最強の称号《しょうごう》を奪ってしまうことになる。まあ世界で二位だって十分すごいんだから、それで満足してくれ」

「……ほえ」

チャモは妙な声を出すと、腕組みをして考えた。しばらく考えて、ポンと手を叩いた。

「ああ、わかったよ。この人馬鹿なんだね」

「少しおかしな人ですが、頼りになります。安心してください」

隣から、ナッシェタニアが割り込んできた。

その時アドレットは、後ろのフレミーの様子に気がついた。今まで、ずっと無表情だったフレミーが青ざめている。唇が、かすかに震えている。

チャモがフレミーを見つめて言った。

「久しぶり、フレミー。どうして君がここにいるのかな?」

知り合いなのかと聞こうとした。しかしフレミーは、ただ恐怖に身を竦《すく》めるばかりだ。

「まあ、フレミーのことは後でいいや。いったい何があったのかな?」

チャモは手に持った猫じゃらしを揺らしながら、不気味な笑みを浮かべた。


アドレットとナッシェタニアが交代で、これまでの経緯《いきさつ》を話した。チャモはローレン上等兵のいた砦には立ち寄っていなかったが、霧幻結界のことは少しは知っているようだ。しかし解除方法まではわからないと言う。

喋りながらアドレットは、時々フレミーの様子を見た。何も言わず、神殿の端に立ちつくしていた。チャモもフレミーのことには触れようとしなかった。

「ふうん。わかったよ。ちょっとだけだけど、困ったね」

何がちょっとだけなのか、とアドレットは思う。

「まあいいよ。とりあえずフレミーを殺そうか」

チャモはさも当たり前のように言った。フレミーが反射的に銃を抜いた。

「待て！」

アドレットはとっさに二人の間に割り込んだ。チャモがきょとんとした眼でアドレットを見る。

「どうして邪魔をするのかな」

「お前こそ何を考えているんだ。今説明しただろう。フレミーは仲間だぞ」

「おかしなことを言うんだね。六花殺しだよ。結界を作動させたのもそいつだよ」

チャモが猫じゃらしを口元に当てる。その時ナッシェタニアが、チャモの手首を摑んだ。

「待ってくださいチャモさん。結界が作動した時、フレミーさんはわたしたちと一緒でした。彼女が結界を動かしたわけではありません」

「あ、そう。関係ないから離して」

「だめです」

静かな怒りをはらんだ目で、チャモがナッシェタニアを睨んだ。

「どうしてチャモに命令するのかな。あなた偉《えら》い人なの？　どこかのお姫様か何かかな？」

「はい、そうですが」

「……………そういえばそうだったね。どうしようかな」

チャモが苦笑しながら肩をすくめる。

「チャモ、フレミーと何かあったのか？」

アドレットが尋ねる。答えたのはチャモではなく、黙って見ていたゴルドフだった。

「チャモさんはかつて、フレミーと戦っている」

「どういうことだ？」

ゴルドフの後を継いで、チャモが喋り始める。

「半年ぐらい前だったかな。そいつが銃でチャモを狙ってたんだよ。チャモのペットがとっさにかばってくれたんだけど、危ないところだったよ。誰って聞いたら、〈火薬〉の聖者フレミーって答えたんだ。

それからチャモはフレミーと戦ったんだけど、フレミーは逃げちゃったんだ。チャモね、殺そうと思った相手を仕留《しと》めきれないなんて初めてだから、すごく腹が立ったんだ」

チャモの体から、殺気が放たれる。

「ずっと殺さなきゃと思ってたの。だから、殺してもいいよね」

アドレットは首を横に振る。ナッシェタニアもチャモの手首を放さない。神殿の中に不穏《ふおん》な空気が漂う。

「チャモさん、少し待ってください。今は結界のことを解決する方が先です」

ナッシェタニアが言う。

「結界は姫様やでっかい人が何とかしてよ。チャモはその間にフレミーを片づけるから」

「ナッシェタニアの言うとおりだぜ、チャモ。ここに五人がいるということは、先行している
モーラって人が孤立しているということだ。モーラのためにも、結界を解く方が先だ」
アドレットとナッシェタニアが、チャモを制止しようと説得を続ける。その時、神殿の入口
で声がした。
「わたしの心配なら無用だぞ」
全員が声の方を向く。そこに長身の女性が立っていた。
歳のころは二十代の後半ぐらいだろうか。力強い目をした、真面目《まじめ》そうな女性だった。黒い
長髪を背中に流し、青い神官服をまとっている。両腕に嵌《は》められた巨大な鉄甲《てっこう》は、武器と防具
を兼《か》ねているようだ。
ただ立っているだけで強者《つわもの》とわかる。そんな女性だった。
「久しぶりじゃな、ナッシェタニア姫、チャモ。そちらの男性は、ゴルドフ殿とお見受けする
が、いかが」
女性は神殿の中央へと歩いてくる。
「わたしは〈山〉の聖者モーラ・チェスター。万天《ばんてん》神殿の長《おさ》を務めている。よろしく頼む」
ナッシェタニアはモーラが現れた後も、まだチャモの手首を摑んでいる。モーラが二人の間
に割り込み、その手を放させた。
「何やらもめておるようじゃな。チャモ、あまり自分勝手にふるまうものではないぞ」
「……………モーラおばちゃん。チャモが悪いわけじゃないよ」

「そうか。お前の言い分もあとで聞いてやる。とりあえず今は大人しくしておれ」

モーラの仲裁《ちゆうさい》で、チャモはしぶしぶ引き下がる。アドレットは内心、ほっとする。

頼りになりそうな人物が現れたことに、アドレットは内心、ほっとする。これで、六花の勇者全員が揃《そろ》ったことになる。

「では本題に移るか。なぜ結界が作動しているのだ？」

「おそらく、敵の罠《わな》に落ちたのだと思います」

ナッシェタニアが答える。

「そうだろうな。こちらの武器を逆手《さかて》に取るとは、凶魔どもめ、なかなかやるものだ」

「なあに、たいした手じゃない。結界を解除する方法がわかれば、何も問題はない」

とアドレットが言う。

「うむ。その通りだな、少年は……？」

その時モーラが、何かに気がついたように辺りを見渡した。その場にいる五人の顔を順番に見つめて、尋ねてきた。

「時に、一人部外者がまぎれているようだが、誰だ？」

モーラを除く全員が戸惑いの表情を浮かべる。

「待ってくれ。どういうことだ？」

「どういうことも何も、一人多いではないか」

何を言っているんだ。アドレットがそう思った時、神殿の入口で声がした。

「にゃあ？　なんだが大勢いるみてえだなあ。ひょっとして全員集まってるだか？」

神殿の中に、奇妙な男が入ってきた。くしゃくしゃの髪の毛で目を隠した、小汚い風体の男だった。年齢はよくわからない。

粗末な麻《あさ》のズボンとシャツ、柔らかい革《かわ》の靴。腰に鉈《なた》のような剣を差していることを除けば、ごく普通の一般人の格好《かっこう》だ。冗談のつもりなのか、尻《しり》に猫の尻尾《しっぽ》を付けている。

男は神殿の中を見渡して、ふざけた笑みを浮かべる。

「にゃひひ、今回の六花は美人が多いだなあ。俄然《がぜん》やる気が出てきただよ」

「……誰ですか？」

ナッシェタニアが尋ねる。男の代わりに、モーラが言った。

「紹介しよう。わたしも昨日会ったばかりだがな。その男はハンス・ハンプティ。六花の勇者の一員である」

何を言っているんだと、アドレットは思った。六花の勇者なら、もう全員集合しているじゃないか。

「誰か選ばれてない者がついてきているようだな。ここにいる七人のうち、六花の勇者でないのは誰なのじゃ？」

アドレットは何も答えられなかった。とてつもない異常事態が起きている。それだけはよくわかった。ナッシェタニアやゴルドフも、呆然と立ち尽くしている。無表情なフレミーや、余裕ぶっていたチャモですら、状況を呑みこめずうろたえている。

「……全員、六花の紋章を見せてくれ」

アドレットはそう言って、右手の紋章を差し出した。フレミーが左手の甲《こう》を全員に見せた。ナッシェタニアが鎧の胸元を引き下げ、鎖骨《さこつ》のあたりにある紋章を露にした。チャモがスカートをたくし上げ、太ももの紋章を出した。

「な、何をしているのだ？」

モーラが戸惑う。

「ゴルドフ、お前は？　俺はお前の紋章を見ていない」

アドレットが聞く。ゴルドフは右肩の鎧を外し、腕をまくった。彼の肩にも、確かに六花の紋章がある。

露になった五つの紋章を見て、モーラとハンスがはっと気がついた。二人の表情が凍《こお》りつく。

「モーラさん、ハンスさん、あなたたちも紋章を見せてください」

「にゃ、にゃあ、こりゃあどういうことだべよ」

ハンスが上着を脱いで、上半身裸《はだか》になる。左胸の心臓付近に、確かに六花の紋章がある。

「……モーラさん、紋章を」

「ありえん。これは、何だ。一体何が起きている」

モーラに全員の視線が集まる。モーラは神官服のボタンを外し、背中を向けて肩脱ぎになる。背中の中央、肩甲骨《けんこうこつ》の間のところに間違いなく六花の紋章がある。

「七人、いる？」

ナッシェタニアが呆然と呟く。モーラがうろたえながら叫ぶ。

「よく確かめるのだ！　ありえん、六花の勇者が七人いるなど」

それから七人は、互いに互いの紋章を確認し合った。大きさや形に差はないか、ぼんやりと輝く薄紅色《うすべにいろ》に違いはないか、互いに何度も確かめ合った。

だが紋章は全員、寸分違《すんぶんたが》わず同じものだった。

七人は言葉を失った。どういうことなのか誰にも理解できなかった。

「……ありえるのか？　勇者が七人選ばれるなんて」

アドレットが呟くと、モーラが答えた。

「………少年よ。かつて一輪の聖者は、自《みずか》らの力を六つに分けて後世に残した。勇者はそれらを一つずつ受け継ぐのじゃ。故《ゆえ》に勇者は六人と決まっている」

「つまりどういうことだ」

「勇者の数は六人。それ以上ということも、それ以下ということも、絶対にありえん」

「だけど、現に七人いるのよ」

そう言ったのはフレミーだった。

「そう、七人おる。どういうことじゃ」

モーラの問いに、誰も答えない。

「にゃははは」

しばらくすると、突然、神殿の中に笑い声が響いた。笑っているのは最後に神殿に現れた奇妙な男、ハンスだった。

「何がおかしいんだ？」

「にゃあ。難しく考えるようなことじゃねえ。つまり、このなかの誰か一人が偽者《にせもの》って話だべ」

ハンスがあっさりと言う。

「だから、なぜ一人偽者がいるかって話だろ」

「だからよ、この中の誰か一人が敵なんだべ。にゃあ？」

アドレットは沈黙する。そうと決まったわけではない。

「運命の神が、六人では足りないから一人増やしたなんて……ありえませんか？」

ナッシェタニアが自信のない声で言う。

「でもそれなら、おらたちにそう言うんじゃねえか？　運命の神は喋れるかどうか知らんけどにゃあ」

アドレットにもわかる。ハンスが言っていることが、最も合理的な解釈だと。

「この中に偽者が一人いる。そして名乗り出ようとしねえ。そいつが敵でなくていったい何だ？　他に理由があるんなら、教えてほしいだにゃあ」

ハンスはそう言いながら、全員の顔を見渡した。彼の額にも冷や汗《あせ》が浮かんでいる。

アドレットたちは、互の顔を見つ合あう。誰もがアドレットやハンスと同じように、戸惑いと恐怖の表情を浮かべている。

この中に一人敵がいる。それが誰か、表情からは見当もつかない。

笑い出してしまいそうだ。七人の中に潜むその人物は、内心でそう思っていた。精一杯《せいいっぱい》うろたえる演技をしながら、六花の勇者たちの様子を見つめていた。

策は成った。全てが完璧に思惑《おもわく》通りに展開した。偽《にせ》の紋章を手に入れて、六花の勇者の中に紛《まぎ》れ込む。結界に彼らをおびき寄せ、そして閉じ込める。まるで想定していたシナリオをなぞるかのように、全ての策略が成功した。

あまりにも簡単に進み過ぎて、逆に怖いぐらいだ。

あとは正体を隠しながら、六花の勇者を一人ずつ消していくだけ。それはおそらく、とても簡単な作業になるだろう。

最初の標的はアドレット・マイア。まずは彼に死んでもらう。

三章
罠と潰走

神殿に七人の勇者が集結してから一時間後。アドレットは森を走っていた。頭の中の地図が正しければ、この辺《あた》りが霧幻結界《むげんけっかい》の端だ。

「その霧幻結界てのはどんなもんかね？　これであっさり出られたら大笑いだにゃあ」

隣をさっき会ったばかりのハンスが走っている。アドレットは不審《ふしん》の目で彼を見る。他人のことを言えた義理はないが、相当に怪《あや》しい男だ。

アドレットは走りながら、周辺の木に印《しるし》をつけていく。しばらく進むと、前に印の付いた木が立ちはだかった。いつの間にか進行方向が反転している。

「やはり、結界は作動してるな」

「案の定だべ」

アドレットとハンスは再度結界の外に出ようとする。しかし結果は同じだ。足元に線を引きながら歩いたり、前方にひもを投げてそれを頼りに進んだりと試したが、外には出られない。

しかし、一つわかったことがある。方向感覚が狂うのは、結界の外に出ようとするときだけだ。結界の中にいる限りは迷うことはない。

「やはり、結界を解くしか方法はないか」

アドレットはため息をついた。

七人はとりあえず、結界の解除を目指すことにした。誰が偽者《にせもの》かを探るよりも、そちらの方が緊急の問題だった。アドレットとハンスが結界の端の様子を確かめて、残りの五人は神殿で結界を解除する方法を探っている。

「神殿に戻るべ」

ハンスが言った。アドレットは頷《うなず》き、走り出した。

「にゃあ。とこでおめえ、もしかしてピエナの神前武闘会《しんぜんぶとうかい》に乱入した奴《やつ》か？」

走りながらハンスが尋《たず》ねてきた。

「そうだ。知ってるのか？」

「噂《うわさ》になってるだよ。卑劣《ひれつ》戦士アドレット。バトアル爺《じい》さんの孫娘を人質に取ったって話は本当だか？」

「どんな噂だ」

人質など取っていない。そもそも卑劣戦士などと呼ばれる筋合《すじあ》いはない。

「ところでハンス。お前の名前は聞いたことがないな。どこで何をしていたんだ？」

アドレットは尋ねた。集まった七人は、ハンスを除いて全員が有名人だ。ナッシェタニアはもちろん、モーラやチャモ、ゴルドフも名を知られた人物だ。フレミーも六花《ろっか》殺しとしてある意味で名高い。このハンスだけが全くの無名だ。

「ま、知られてちゃ困るだよ」

「どういうことだ？」

何も答えず、ハンスはにやりと笑うだけだった。

神殿に戻ると、五人がアドレットたちを待っていた。ナッシェタニア、モーラ、チャモの三人が祭壇の周りに集まっている。そこから少し離れたところに、ゴルドフとフレミーがいる。

フレミーは両手首を鎖《くさり》で巻かれていた。ゴルドフがその鎖を握り、一挙手一投足《いっきよしゆいっとうそく》も見逃すまいと彼女を監視している。荷物や銃はモーラの手にある。抵抗はできない状態だった。

最初に疑われたのは、当然ながらフレミーだった。チャモなどは今すぐ殺してしまえと主張した。六人で話し合った結果、ひとまず彼女を拘束《こうそく》しておくという結論に達した。

縛《しば》られたフレミーが感情のない目で祭壇を見つめている。何か諦《あきら》めたような表情だった。

「で、どうだったべ？　モーラ」

ハンスがモーラに話しかける。聖者が使う言語である神言《しんごん》や、聖者の力を増幅させる結界については、モーラが一番詳《くわ》しいらしい。

「うむ。ある程度のことは解《わか》った。だがそのことを話す前に、少し自己紹介をしないか。まだ顔と名前が一致しておらんのだ」

「にゃにゃ、物覚えが悪いだなあ」

ハンスは笑う。

「自己紹介とともに、簡単な略歴と、ここに合流するまでの経緯《いきさつ》も語ってくれ」

「どうしてだ？」

「参考になるかもしれん。偽者を……七人目を突きとめるためのな」

アドレットたちは祭壇の周りに集まる。ゴルドフがフレミーの肩を押し、輪《わ》に加わらせる。

「さて誰から話す」

と、モーラ。いつの間にか彼女がリーダー役になり、皆も自然にそれを受け入れていた。彼女は落ち着きと威厳《いげん》を備えた人物だ。

「俺からいくぜ。俺の名前はアドレット・マイア。地上最強の男だ」

まず口火を切ったのはアドレットだった。簡単な経歴と、ナッシェタニアとの出会い、フレミーとの出会い、そして神殿にたどり着くまでのことを話す。もちろん自分が地上最強の男であることは、何度も繰り返した。

「……………あの、アドレットか。妙な男が選ばれたものじゃな」

説明を聞き終えたモーラが、肩をすくめて言う。

「地上最強？　にゃはは、馬鹿《ばか》だ、こいつすげえ馬鹿だべ」

ハンスはひたすら笑っている。アドレットはそれを無視する。

「結界が作動した時、一番近くにいたのは俺だ。その時のことも話そうか？」

「いや、後でじっくり聞こう。次は誰が話す」

アドレットの隣にいたナッシェタニアが手を挙げた。

「兎《うさぎ》の姉ちゃんの話はじっくり聴きてえだな。できれば二人っきりで聴きてえだな」

「ハンスとやら。少し身の程を知った方がいいぞ。このお方はピエナ王家第一王女。本来お前など口もきけないお人だ」

ゴルドフが割り込んでくる。

「にゃ？　兎の姉ちゃんなのに姫なのか。そりゃあなおさら興味がわくだなあ」

「わたし、喋《しゃべ》ってもよろしいですか?」

ナッシェタニアがうんざりした表情で言う。

神殿に来るまでの経過は、アドレットとそう変わらない。初耳なのはアドレットとはぐれた後、すぐにゴルドフと合流したこと。アドレットたちが立ち去った後すぐに、砦《とりで》で霧幻結界の話を聞いたことぐらいだ。

続いてゴルドフも経過を語る。六花殺しを追っていたこと。六花の紋章《もんしょう》を手に入れた時は、聖河《せいが》の国に一人でいたこと。ナッシェタニアと合流したことなどを語る。これもアドレットには既知《きち》の話だ。

続いて口を開いたのはモーラだった。

「わたしの名はモーラ・チェスター。〈山〉の聖者であり、万天《ばんてん》神殿の当代の長《おさ》である」

「万天神殿?」

アドレットが口を挟《はさ》んだ。名前は聞いたことがあるが、詳しくは知らない。隣のナッシェタニアが補足《ほそく》を加えた。

「万天神殿というのは、わたしたち聖者を統括《とうかつ》する組織です」

「まあ、たいした仕事をしているわけではない。聖者の力が悪用されないよう、監視する程度の仕事じゃ。ともあれ七十八名の聖者、全員の顔と名前、能力はそらんじておる」

「チャモたちはね、聖者の力を手に入れたら必ずモーラおばちゃんのところに挨拶《あいさつ》に行く決まりなんだよ」

「ただし、そこにいるフレミーのことだけは知らなかった。〈火薬〉の聖者か。そんな者がいるとは聞いたことがない。新しく誕生した聖者であろうな」

「新しく聖者が生まれるなんてことが、あり得るものなのか？」

と、アドレット。

「ない話ではない。ここ百年ほどはなかったことだがな。話を戻すぞ」

モーラは喋り続ける。

「先代の長〈太陽〉の聖者リウラ様に替わり、万天神殿の長についたのは十年ほど前じゃ」

リウラ。その名前は何度か旅の中で聞いた。太陽の光や熱を操《あやつ》り、城を一つ焼き尽くす力を持った聖者。歳《とし》をとっても〈太陽〉を操る力は衰《おとろ》えを知らないというが、体が弱って安楽椅子《いす》から動けなくなっているという。そして一カ月ほど前から行方《ゆくえ》不明だとも。

「十年間、大過《たいか》なく務めを果たしてきたと思う。チャモが暴れないよう押さえておくのは一苦労であったがな」

「モーラさんの仕事は立派《りっぱ》だと思います。お父様も、モーラさんがいる限り聖者たちが悪事を働くことはないだろうと言っていました」

「ピエナ王はそうおっしゃっていたか。光栄である」

ナッシェタニアの言葉に、モーラが満足げに頷く。

「わたしは魔神《まじん》が目覚めた時、仕事で赤嶺《せきれい》の国にいた。すぐに魔哭領《まこくりょう》に向かって出発し、合流地点に着いたのは二日前じゃ。砦でローレン上等兵から霧幻結界の話を聞き、方針を決めたのも同じ日だった。一人で隠れて待っていたが、昨日ハンスがぶらぶら一人でやってきた。そして先刻《せんこく》、神殿の方向で爆発が起きたのを見て、駆けつけたというわけだ」

「あんたは一昨日《おととい》まで霧幻結界について知らなかったのか？　聖者を束ねるのが仕事なんだろう？」

アドレットが尋ねる。

「存在は知っておったが、詳しくは聞いていなかった。結界の動かし方も、神殿の場所も、二日前にローレン上等兵から聞いた。こんなことになるなら〈霧《きり》〉のウスパや〈幻《まぼろし》〉のアドレアとよく話しておくのだったと思っている」

今挙《あ》がった名前は、結界を作った聖者たちのものだろう。彼女は結界を作った者たちと顔見知りだった。このことは覚えておこうと、アドレットは思った。

「では次、チャモ」

モーラが言うと、チャモが頷く。

「あのね、チャモはチャモだよ。〈沼《ぬま》〉の聖者で十四歳だよ。聖者になったのは七歳の時かな。チャモはちょっとだけ強すぎるから、力を使うといっつもモーラおばちゃんに怒られたよ。かなり前に黄果《おうか》の国の武闘大会に出たんだ。間違えて一回戦の相手を殺しちゃってね、そしたら出場するはずだった人が全員棄権《きけん》しちゃったんだ」

アドレットもその話は知っている。彼女の強さを示す、よく知られた逸話《いつわ》だ。

「ここに来るまでの話は……特に何もないなあ。魔神が目覚めた時はお家《うち》にいたよ。お父さんとお母さんに旅の準備をしてもらって、地図をもらって魔哭領に向かったよ。本当はチャモが一番早く来れるはずだったんだけど、道に迷っていて遅れちゃったんだ。

適当に凶魔《きょうま》を倒しながら歩いてたら、何か騒ぎが起こってたからそっちに行ったの。そしたら急に霧が出始めるし、神殿に行ったらフレミーがいるし、びっくりしたよ。チャモが話すことはこれだけかな」

チャモが説明を終えた後、ゴルドフがモーラとハンスのために補足説明をした。かつてチャモがフレミーと戦ったこと、フレミーが六花殺しの犯人であることなどだ。

「にゃあ。そいつが六花殺しだか。信じられねえだな」

「本人も自分が犯人だと認めている。間違いないだろう」

ハンスの疑問にゴルドフが答える。ハンスは何かを考えているようだが、口には出さない。

「フレミーの話は最後に聞くとしよう。次はハンスじゃな」

「あいよ」

モーラに促《うなが》され、ハンスが話し始める。注意して聞こうとアドレットは思った。外見、言動、そして余裕ぶった態度。決めつけるのはよくないが、この男が一番怪しい。

「にゃあ。おらはハンス・ハンプティっていうもんだ。出身は……まあどうでもいいだな。職業は、殺し屋だ」

「殺し屋？」

ナッシェタニアが首をかしげた。

「姫。殺し屋というのは、金で殺人を請け負《う》う者、人殺しを商売にする者のことです」

ゴルドフの説明に、ナッシェタニアが驚いている。彼女は殺し屋という商売があるのを知らなかったようだ。

「……………そんな人が六花の勇者に？」

「にゃ？　殺し屋が勇者じゃ悪いか？」

ハンスは世間《せけん》知らずのナッシェタニアを嘲笑《あざわら》うように言う。

「六花に経歴は関係ないべ。殺し屋だろうとなんだろうと、魔神を倒せる奴が六花の勇者に選ばれる。違うだか？」

「で、ですが………」

「姫さん。あんたが考えるほど、世の中は正しくできちゃいねえだよ。おらに殺しを依頼した連中には、あんたの国の偉《えら》い人だってたくさんいる」

「そんな！」

「まあ、殺し屋云々《うんぬん》はどうだっていいべ。話を続けるべ。にゃあ？」

アドレットは頷く。ナッシェタニアには悪いが、殺し屋という仕事については別問題だ。

「六花に選ばれた時、おらは魔哭領のわりと近くにいた。おらはまずこの国の王様に会って魔神を倒したらいくらくれるか交渉《こうしょう》しただ。王様ってのは気前が良いねえ。前金でがっぽりもらっただ。それから金を隠して魔哭領に来て、そこでモーラに会っただよ」

「金の交渉？　戦う前に？」

「にゃ？　おらは金にならない殺しはしない主義だよ。まさかおめえらただ働きか？」

魔神を倒して金をもうけるなど、アドレットは考えたこともなかった。

「結界については知らなかったのか？」

とゴルドフが言った。

「にゃ？　なんか王様が砦に行けって言ってただにゃあ。まあおらには関係ねえと思って無視しただよ。結界についてはモーラから聞いただな」

何か、おかしいとアドレットは思った。霧幻結界のことは、重要事項のはずではないか。それを聞かずにモーラと合流した理由が納得できない。しかし、とりあえず口には出さず、話を聞くことにした。

「それからは話すことはねえだな。爆発が起きたのを見て、神殿に来ただ。にゃあ」

その時チャモが、ずっと疑問に思っていたことを聞いた。

「ねえ、なんでそんな喋り方なの？」

「にゃにゃ。よく聞いてくれただよ」

そう言ってハンスは猫のように拳《こぶし》で顔を撫《な》でた。そして宙返りをしてから喋りだした。

「おらの剣は猫の剣だ。猫の動きをひたすら真似《まね》ることで編み出した剣術だ。猫はおらの師《し》匠《しょう》ってところだにゃあ。師匠に敬意を表して、口ぶりも真似ることにしてるだよ」

「今回の六花は、妙な奴ばかりじゃな」

モーラがぼやいた。

「まったくだぜ」

アドレットが頷く。

「おめえが言うな。地上最強馬鹿」

そう言ってハンスが笑う。

ハンスの話が終わり、最後の一人に視線が集まった。ゴルドフに拘束されたフレミーは、一言も口を利《き》かず、他の仲間たちの話を聞いていた。

「………して、フレミーとやら」

モーラが言った。

「話したくないでは済まさんぞ。渋《しぶ》ればそれだけ立場が悪くなると思え」

「これ以上、どう悪くなるの？」

フレミーは吐き捨てるように言い、そして黙り込んだ。しばらく沈黙が続いた後、ゆっくりと口を開いた。

「私は、凶魔と人間の間に生まれた子供よ」

チャモとゴルドフを除く全員が、息を呑んだ。

「ゴルドフ。頭の布と眼帯を外して」

ゴルドフが応じると、桃色の右目が露《あらわ》になった。額《ひたい》の中央には、凶魔の証《あかし》である角《つの》の跡があった。根元から折られ、傷跡が残るばかりになっていたが。

「そういえば、角がなくなってたね。自分でへし折ったの？」

チャモが言う。フレミーは答えず、自分の経歴を話しだした。

「二十年ぐらい前、一部の凶魔が魔哭領を出て人間の世界に潜伏《せんぷく》したわ。魔神の復活に備えて、六花の勇者に対抗するための手駒《てごま》を作ることにしたの。それが私よ」

「……………」

「父は人間だった。顔は知らないわ。母が私をはらんだところで殺されたから。私は凶魔の母から生まれ、凶魔に育てられたわ。母と仲間の凶魔は何人もの人間をさらった。そして〈火薬〉の神を祭るための新しい神殿を作らせた。そこで私は〈火薬〉の聖者の力を得たわ」

「……………それで」

「私は母の期待に応えて強くなったわ。そして母の命令に従い、強い人間たちを殺してまわった。魔神を完全復活させるためにね。疑問には感じなかったわ。私は半分人間でも、立派な凶魔だと思っていた。魔神は私たちを守り、導いてくれる、立派な方だと信じていたわ」

「それで、なぜお前はここにいる？　なぜ魔神を倒すことにしたのだ？」

モーラが聞く。それこそが話の核心だ。

「……………話しても信じてくれるとは思えないわ」

「しかし話さねば信じるも信じないもないぞ」

モーラとフレミーが睨《にら》み合う。そこにチャモが口を挟んだ。

「別に話さなくていいよ。殺すつもりだもの。だってそうでしょ？　偽者はフレミーに決まってるじゃない」

「やめろチャモ。決まってねえ」

チャモが無邪気なそぶりでアドレットを見る。瞳《ひとみ》の奥に、かすかに怒りが宿っている。

「あなた、名前なんだっけ。面倒《めんどう》くさい人だね。チャモに指図《さしず》しちゃいけないってお母さんから教わらなかったの？」

「知るか」

「じゃあ今知ったね。チャモに口答えしちゃいけないんだよ」

「チャモ！　今はフレミーの話を聞くときじゃ！」

モーラが叱責《しっせき》すると、チャモは大人しくなる。アドレットにはモーラの存在がありがたい。彼女がいなければ今頃どうなっていたことか。

「フレミーさん。話してください。なぜ魔神と戦うことになったのです」

ナッシェタニアが言う。しかしフレミーは全員を冷たい目で見るばかりだ。

「……………チャモが言っているわ。話さなくていいって。私も話したくはない」

フレミーはそれから、完全に口を閉じた。アドレットが話せと言っても、目線すら合わせない。やがてモーラがじれたのか、話題を変えた。

「自己紹介で時間を食ってもしょうがない。それより、どうやってここから出るかじゃ」

話は終わっていないと抗議しようとしたが、やめた。モーラの提案の方が建設的だ。

「すでにゴルドフとフレミーには話したことだが、わたしとチャモ、ナッシェタニアの三人でこの結界の構造を探ってみた」

アドレットとハンスが頷く。彼らが結界の端を見に行っている間、モーラたちは祭壇にある神言の書を解読していた。

「まず、結論から言おう。この結界を解除する方法は神言の書には書いてなかった。存在する可能性はあるが、その方法は今のわたしたちにはわからない」

「……にゃあ、それ最悪じゃねえか？」

ハンスが呟《つぶや》いた。

「だが、二つだけ方法がある。まず結界を作動させた本人なら解除することができる。そしてもう一つ。結界を作動させた本人が死ねば、結界は解除される」

「間違いないのか」

「九分九厘《くぶくりん》そうじゃ。そもそも作動させた本人にすら解除できぬ結界など理論上存在せん。作動させた者が死んでも動き続ける結界も、同様にありえん」

「そうか……」

アドレットは、結界が発動した時のことを思い出した。扉を開けた瞬間、鎧《よろい》の兵士たちが襲《おそ》ってきた。そして背後でけたたましく凶魔が笑いだした。何者かがその間に結界を作動させ、そして逃げた。

いったい何者が、そしてどうやって。アドレットは考えの糸口を探るため、モーラに質問をぶつける。

「作動させた人間は、まだ結界の中にいるのか？」

「いる。人であれ凶魔であれ、結界を出ることは絶対にできん。結界を作動させた本人であろうと変わりはない」

「神殿の外から作動することはできるのか？」

「不可能だ」

「結界を作動させられるのは人間だけか？」

モーラは少し考えて答えた。

「人間だけじゃ。凶魔に聖者の造《つく》った結界を動かすことなどできるはずがない」

「つまり……魔神に味方している人間がいるということだな」

アドレットがそう言うと、モーラが大きく首を横に振る。

「そのような者がいるとは思えん。魔神が完全に蘇《よみがえ》れば、人間は絶滅するかもしれんのだぞ。いかなる理由があろうとも、そんなことをする者はおらん」

「最低でも、この中に一人いるぞ」

アドレットが言う。

「だからフレミーが敵なんだって。どうしてそれが判《わか》らないかなあ」

チャモが呆《あき》れたように言う。

「まだそう決まったわけじゃない。俺はフレミーが仲間だと信じてるぜ」

「しかしフレミー以外に、魔神に味方する人間がいるとは思えぬ」

モーラが首をかしげる。

「いる」

アドレットは強く断言した。

「凶魔はたくさんの人間を拉致《らち》し、脅迫《きょうはく》している。脅《おど》されて誰もが拒《こば》みとおせるわけじゃない。凶魔に従っている人間は間違いなく存在するんだ」

「……………了解したぞアドレット。油断はするな、ということだな」

とモーラが言う。

「………さっきから」

その時、突然フレミーが口を開いた。全員が驚いてフレミーを見る。

「モーラがいろいろと解説しているけど、この人の言葉は本当に正しいの？」

モーラがフレミーを睨む。

「わたしは憶測《おくそく》で物を言わない。全《すべ》て間違いのない事実だ」

「そういう意味じゃないわ。悪いけど、あなたが本物である確証はどこにもないの」

「………」

「私は偽者……七人目じゃない。七人目は、あなたたち六人のうちの誰か。私の目から見れば、あなたも容疑者の一人に過ぎない。作動させた本人を殺せば結界を解除できる。凶魔に結界は作動できない。それらが真実という保証はないわ」

モーラが口ごもった。アドレットは虚《きょ》を突かれた気分だった。モーラは身元が確かな人物だから、疑っていなかった。だがフレミーの言うとおり、彼女の言葉が真実である保証はない。

「……フレミーさん、モーラさんの言うことは、正しいと思います」

「うん。チャモもそう思う」

ナッシェタニアとチャモが言う。

「そう。でも忘れてはいけないわ。この中の誰か一人が敵だということを。誰か一人が、嘘《うそ》をついているということを」

「フレミーさん。今一番疑わしいのはあなたですよ」

ナッシェタニアが言う。

「私は七人目じゃないわ。今言えるのはそのことだけよ」

「では、誰が七人目だと？」

ゴルドフの問いに、フレミーは何も答えない。

じわじわと、偽者がいることの恐ろしさが身に染《し》みてきた。この中の誰かが敵で、誰かが嘘をついている。ほんの些細《ささい》な言葉でも、一度は疑ってかからねばならないのだ。逆に不用意な言葉を言えば、アドレットが疑われる可能性もある。注意しなければならない。騙《だま》されないように、疑われないように、そして真実を嘘と見間違わないように。

その時、チャモが話に割り込んできた。

「ねえ、もうチャモ面倒になったよ。フレミーを殺しちゃえば済む話じゃない」

「またそれか」

相手は子供とはいえ、アドレットは本気で腹が立ってくる。

「だから何度も言ってるけど、フレミー以外で、誰が偽者だっての？　どうせ結界を動かしたのもフレミーに決まってるよ。でっかい人、そいつの首へし折ってくれる？」

　ゴルドフは首を横に振った。

「チャモさん。彼女は結界が発動した時、姫や俺のすぐ側《そば》にいた。彼女が偽者だとしても、結界を作動させたのは別人だ」

「そう。じゃあ拷問《ごうもん》にかけて聞きだそうか。チャモ拷問は初めてだけど、頑張るよ」

　そう言ってチャモは猫じゃらしを口に当てた。その時アドレットの背筋《せすじ》に、悪寒《おかん》が走った。あの猫じゃらしを何に使うのかはわからない。だが、あれはとてつもなく恐ろしいものだ。

「待て！　やめろ！」

　アドレットが腰の剣に手を添えながら叫んだ。

「ご、拷問？　だめです、そんなこと。ゴルドフ、チャモさんを止めて！」

　ナッシェタニアの命令に、ゴルドフがためらいの表情を浮かべる。

「姫。御身《おんみ》を守るためには仕方がないことです。アドレット、姫を外に連れ出してくれ」

「ゴルドフ！　何を言ってるの⁉」

　ナッシェタニアが頭を抱える。チャモがゆっくりとフレミーに近づく。

　モーラはためらってはいるが、止める様子はない。ナッシェタニアはうろたえるばかり。戦うしかないと思ったその時、予想外のところから制止の声がかかった。

「やめとけ。おらは、フレミーが七人目とは思わねえ」

ハンスだった。チャモが驚いて、猫じゃらしを口から離した。

「……何を言ってるのかな、猫さんは」

「なんつーかな、フレミーは怪しすぎる」

「理由になってないよね」

「にゃあ。じゃあ、きちんと話すだよ。もし仮にフレミーが七人目だとしたら、アドレットはなぜ生きている？」

「？」

チャモが疑問の表情を浮かべている。

「フレミーが七人目なら、アドレットは殺されてなきゃおかしいだよ。同行していた姫さんも、ついでに殺されてるはずだべ。話を聞く限り、その機会はいくらでもあったと思うだよ」

「……それは」

「七人全員が集まるってのは、フレミーにとっては最悪の状況だべ。全員が集まっちまったら、偽者がいるってこともバレる。六花殺しとして、顔も名前も割れちまってるだ。拷問されて殺されることは目に見えてるだろ？」

「そうだね」

「フレミーとしては何としてでも、七人が集まる状況を回避しなきゃいけねえ。なのにアドレットに言われるまま、のこのこついてきている。フレミーが七人目だとしたら、こいつは一体何がしたいんだべか？」

「………一理ある。フレミーが敵だとしたら、不合理な行動が多すぎる」

モーラが言った。

「そうかも………しれませんね」

ナッシェタニアも同意する。アドレットは思わぬ助け船に、胸を撫で下ろした。

「しかし、フレミーが一番怪しいことには変わりないぞ」

「まあそうだべな。でも、おらたちを騙すつもりなら、もう少しうまくやると思うだよ」

チャモが悲しそうに猫じゃらしを見つめている。

「ねえ、拷問しちゃだめなの？」

「にゃあ。今はまだ、駄目だ」

「こんなにたくさんの人に口答えされたの、チャモ初めてだよ」

しょんぼりと沈み込むチャモ。とりあえず、目の前の危機は回避できた。

「………して、これからどうするのじゃ」

拷問の騒ぎが収まった後、うんざりした声でモーラが言った。先ほどからかなり長い時間話していているが、ほとんど何も進展していない。

その時ナッシェタニアが、突然額を押さえてうずくまった。

「姫！」

ゴルドフがフレミーを放して、ナッシェタニアに駆け寄る。すぐさまハンスがフレミーの鎖を摑《つか》む。

「大丈夫です……少しめまいがしただけです」

ナッシェタニアがそう言って立ち上がろうとする。

「座っていろ。無理するな」

アドレットが言う。

「……はい」

ナッシェタニアが額を押さえたまま、膝《ひざ》をつく。ゴルドフが側に寄り添い、彼女を支える。顔色が悪い。ひどく疲れているようだ。初めて凶魔と戦った時すら、ここまで弱々しい姿を見せることはなかった。

彼女は優《すぐ》れた戦士だ。だが何不自由なく育った彼女は、やはり精神的にもろいのだ。仲間のうちの誰か一人が敵。そんな状況に、耐えられるものではない。

「仕方ない。少し休むか」

モーラが肩をすくめながら言った。休める状況ではないが、それぞれ休憩《きゅうけい》をとる。

ナッシェタニアはゴルドフに任せることにした。アドレットが立ち上がると、モーラが手招きしてきた。アドレットとモーラは神殿の隅《すみ》に移動する。

「どうした、モーラ」

「大した用件はない。この中ではお前が一番話せそうだと思っただけじゃ」

「そうだな。何しろ俺は地上最強の男だ」

「一番話せるのがお前とは、先が思いやられるわ」

モーラが小さくため息をつく。

「お前はなぜフレミーが七人目ではないと確信しているのだ？」

「根拠なんてねえ。ただ、一緒にいる中であいつの気持ちが伝わったってだけだ」

「たかが半日ではないか」

「それでも伝わるものは伝わるんだ」

「あやふやな理由じゃな」

「最初に会った時決めたんだ。俺はあいつを信じるってな」

モーラは、苦渋《くじゅう》に満ちた表情を浮かべている。

「……お前は若すぎる。疑うことを知らぬ若さは、危うさでもあるのだぞ」

「忠告感謝するぜ。だけど意見を変えるつもりはない」

「わたしは不安だ。お前を含め、今回集まった勇者はあまりに若い。チャモやゴルドフなど、まだ子供と言っていい歳じゃ。運命の神は判断を誤ったのではあるまいか」

確かにそうだ。アドレットとナッシェタニアはまだ十八歳。フレミーとハンスは年齢不詳《ふしょう》
だが、アドレットとそう違うようには見えない。

「年季《ねんき》だけが強さじゃねえ。若者には若者の強みがあるぜ」

「……そうだといいが」

「そう思った方が気が楽だ。悲観してちゃ勝てるもんも勝てねえよ」

「なるほど、そう考えられるのも、若者の特権か」

そう言ってモーラは笑う。しかし世間一般の基準から考えれば、モーラも十分に若者だと思うのだが。妙に年寄りくさい喋り方といい、この人はいくつなのだろう。

「女性の歳を勘《かん》ぐるでない。馬鹿者め」

鋭い。アドレットは苦笑した。

その時ナッシェタニアが立ち上がった。顔には精気が戻り、目には闘志が宿っている。

「落ち着きました。みなさん、迷惑をかけました」

ばらばらに散らばっていた七人が、祭壇の周りに戻ってくる。ゴルドフはフレミーを監視する役目をハンスと交代する。

「外に行こう。結界を作動させた者を追わねばならん。まずは手掛かりを探すぞ。アドレット、結界が発動した時の状況を、なるべく細かく説明してくれ」

モーラが全員を促し、神殿の外に向かわせる。歩きだしたアドレットの手を、ナッシェタニアが掴んだ。

「どうした、ナッシェタニア」

「あの、わたしのこと、頼りないと思わないでくださいね。少し気が動転しただけです」

「わかってるぜ。気弱になるより、いたずらでもしかけてくる方がお前らしいぜ」

ナッシェタニアが拳を握ってアドレットに見せる。

「がんばります」

「いたずらを？」

「結界の解除と七人目探しを、です」

七人は、神殿の前に出た。扉の前でアドレットは、記憶にある限りのことを話した。まずは神殿の塩の柱のところで倒れていた変形型の凶魔のことだ。女性のふりをして神殿の中に入るように促し、それから正体を現して逃げだした。

「その凶魔、何か知っているな。捕えて吐かせることができれば……」

と、ゴルドフが言う。するとチャモが恥《は》ずかしそうに頭をかいた。

「ごめん、そいつ殺しちゃった。たまたまチャモのいるとこに逃げてきたの」

「余計なことを……」

ゴルドフが呆れる。そこにモーラが助け船を出す。

「捕えても、情報を引き出すのは不可能じゃろう。凶魔は忠実な生き物だ。喋るなと命令されれば、殺されても絶対に喋らぬ」

アドレットはさらに話を続ける。扉に鍵《かぎ》がかかっていたこと、それを爆破したことだ。

「変だね。鍵がかかってたの？　普通は鍵をもらっておくと思うけど」

チャモが首を傾げると、モーラが懐から鍵を取り出した。

「わたしが持っている。ローレン上等兵も、まさかこんな事態になるとは思ってなかったのだろう」

さらに話を続ける。扉を壊した時に襲ってきた、二体の鎧兵士のことだ。これが一番不可解だ。アドレットに襲いかかってきたが、凶魔の手先とも思えない。

「この鎧ですか。さっきから気になっていましたが……」

ナッシェタニアが落ちていた鎧を持ちあげて中を見る。中に人は入っていない。空《から》っぽだ。

「鎧の内側は、びっしり神言が書いてあります。難しくて読めません」

「これは〈封印《ふういん》〉の聖者が作った番兵だ。正規の手続きを経《へ》ずに扉を開けた者を、無差別に攻撃する」

と、モーラが解説する。

「ずいぶんと厳重に封印されてたんだな」

「この結界を作った鉄岳《てつがく》の国の王は、秘密主義であった。凶魔のみならず人間も、ここに立ち入ることを禁じていた。悪用されることを防ぐためであろう」

「今まさに悪用されてるけどな」

善意で作ったものとはいえ、この結界がなければ閉じ込められることもなかった。こんな事態を招いた責任を、問い詰めたくなってしまう。

話を続けようと思ったが、妙なことに気がついた。ハンスが鎧を覗《のぞ》き込んでいる。そして破壊された扉を念入りに眺《なが》めている。真剣な表情だ。どうしたのか、と聞く前にモーラが続きを促してきた。

「その後は」

「ああ。扉を開けた時には、すでに結界は発動していた。霧が発生したのは、扉を爆破した直後だったと思う。中に入った時には、剣は台座に突き立っていた」

「……結界が発動したのは、お前が扉を開ける直前、か」

「そして、神殿の中には、人の姿は影も形もなかった。正直、信じられない気分だった」

モーラが腕を組んで考える。

「普通の人間の仕業《しわざ》とは思えない。間違いなく聖者が絡《から》んでいる」

「聖者が……なぜ聖者が魔神に協力するのです？」

「脅迫されたんだろう。凶魔たちがよく使う手だ」

アドレットはモーラを見る。

「モーラなら知っているだろう、こんなことを可能にできる聖者ってのは、どんな奴だ？」

「……〈幻〉か？　いやあり得ぬ。お前に一度も姿を見せず、この場から立ち去る方法など……容易には思いつかぬぞ」

「にゃあ、アドレット！」

突然ハンスが大声を上げた。

「何か記憶の違いはねえか？」

「どうした？　……ないと思うぞ」

「そうかい。もう一度聞くだよ。記憶の違いはねえか？」

アドレットは戸惑《とまど》う。

「訂正《ていせい》するなら今のうちだよ。この先は、取り消しますって言っても簡単にはいかねえだよ」

「ああ。それが何だ」

「おめえが中に入った時、すでに台座に剣は刺さっていた。これは間違いねえだな」

「ああ」

「最後にもう一回だ。間違いはねえだな」

「しつこいぞ。間違いねえって言ってるだろ。なぜ信じない」

そのときハンスが、静かに腰の剣に手を添えた。抜くのかと思ったが、添えただけだ。

「………おらは殺し屋だ。忍びこんだり逃げだしたりってのは、まあ専門家みてえなもんだにゃあ」

「ほう。頼もしいことじゃな」

モーラが言う。

「おらみてえな稼業《かぎょう》の人間が一番恐れるのが、〈封印〉の聖者さまだべ。何しろ聖者さまときたら、あちこちに不思議な扉を作っちまった。鍵が開かねえ、一度閉めたら出られねえ、開けたらその場に鉄格子《てつごうし》が落ちてくる。おらも何度困らされたことか。

おらは、聖者さまの扉についてはかなり詳しいだよ」

「………それで」

「この扉はよくできてるだな。恐ろしく頑丈《がんじょう》な代わりに、一度開けたら二度と閉まらねえ造りになってるだ」

「待て、それはどういうことだ」

「聞いてるのはおらだよ、アドレット。妙な話だなあ、おめえがここに来た時、扉は閉まってただ。結界が発動したのは、お前が扉を壊すのとほぼ同時だ。だとしたら、結界を作動させた奴は、どうやって中に入っただ？」

「どういうことだ？」

中に入る方法など、いくらでもあるだろう。

「にゃあ、アドレット。おめえが扉を壊す前に、神殿に入るのは不可能だ。誰にも、絶対に不可能だべよ」

「待て！　そんなはずがない！」

アドレットは神殿の中に入る。通風窓を探すが、そんなものは存在しない。採光窓は分厚いガラスと、鉄格子で覆《おお》われている。石壁を探るが、どこにも壊して修復した跡はない。

呆然《ぼうぜん》と、神殿の中を見る。犯人は結界を作動させた後、どうやって逃げたかを考えていた。だがそれ以前に、どうやって中に入ったかが判らない。

「アドレット。頑張って考えなきゃ死んじゃうだよ。結界を作動させた奴は、誰も立ち入れないはずの神殿に、どうやって入っただ？　にゃあ？」

「……それは」

「扉は一度開けたら閉まらねえ。扉以外の出入り口はねえ。この状況で神殿に入ることはできるだか？　特殊な凶魔の力を借りようにも、凶魔はこの神殿には近づけねえだよ。人間の力だけで、神殿に入らなきゃいけねえだ」

「……」

「ちなみに、一つ教えておくだよ。こういう入ることも出ることもできない状況を、おらたちは密室と呼ぶだよ」

密室。その耳慣れない言葉がアドレットの頭を駆け回る。この密室を破る方法が、何も思い浮かばない。

「穴を掘ったんだろう。床石《ゆかいし》をはずし、そこから穴を掘って侵入し、結界を作動させた。そして俺が扉を破壊しているときに穴から脱出してすぐに埋めた」

「にゃあ？　一瞬で？　どうやって？」

「そういう能力を持つ聖者がいるかもしれないだろう。〈大地〉の聖者とか」

穴を掘った痕跡《こんせき》を探すアドレット。しかしその時、チャモが言った。

「それはないよ」

「なぜ？」

「あなたとハンスが結界の端に行ってたときね、モーラおばちゃんが言ったんだ。この周辺に何者かが潜《ひそ》んでるかもしれないってね。だからチャモは〈沼《ぬま》〉の力で地面の中や森の中を探ってみたんだ。地面に穴を掘った形跡はなかったよ。チャモはね、地面の中を探る力も持ってるんだ」

〈沼〉の力、地中を探る能力。一体どんなものなのだろうと、アドレットは思った。

「アドレット。俺もチャモさんが地中を探っているところを見ていた。穴を掘ったとは考えられない」

ゴルドフが言い、ナッシェタニアが頷く。信じないわけにはいかない。

「さらに言っておこう。〈大地〉の聖者にそのような力はない。そしてチャモの能力でも、一瞬で穴を掘り脱出するなど不可能じゃ」

　モーラが付け加える。皆に否定された今、穴を掘って逃げる可能性は捨てざるをえない。

「穴じゃなくてもいい。何か聖者の力を使ったんだ」

　言いながらモーラの方を振り向く。

「モーラ。誰かいるだろう。扉を開けられたり、神殿に入れたり、そんな力を持った聖者がいるはずだ」

「悪いが、おらぬ。〈封印〉の聖者の力は破れん。力ずくでこじ開けることはできるが、一度開けた扉を閉めることはかなわぬ」

「そんなはずはない、聖者の力がなければ、この神殿には……誰も立ち入れない」

　アドレットは考える。

「未知の聖者がいるんだ。フレミーと同じように、凶魔に育てられた聖者が」

「いないわ。母さんが言っていた。凶魔と人の間に生まれた子供はわたし一人だと」

　フレミーが冷徹《れいてつ》な声で言う。見るとハンスが、静かに剣を抜いていた。チャモが、口元に猫じゃらしを当てている。

「止《や》めろハンス、チャモ。もう少し話を続けるぞ。決断するには早い」

　モーラが二人を制する。しかし彼女も、アドレットに疑いの目を向けている。

「…………え？　あの、よく意味がわかりません」

ナッシェタニアが、うろたえる。

「みなさん、何を言ってるのですか、ゴルドフ？　ハンスさん？　モーラさん？　アドレットさん？」

次第《しだい》に緊迫の度を増す中で、ナッシェタニアだけが状況をわかっていない。

「……お教えいたします、姫。ただ今、アドレットが疑われています」

「にゃあ。その通りだべ。しかも決定的に、疑われている」

「どうしてですか！　ありえません！　アドレットさんは、アドレットさんだけは絶対に敵じゃありません！」

ナッシェタニアの怒鳴り声。それが、今は遠くに聞こえる。

「にゃあ、それはな。アドレットが扉を開けるまで、神殿には誰も入れなかったからだよ。アドレット以外誰も入っていないなら、結界を作動させたのは誰だべ？」

「アドレットさんじゃありません！　そんなの嘘です！」

ハンスが、肩を震わせて笑う。

「罪作りな男だべなあ、アドレット。頑張って疑いを晴らさにゃだめだにゃ？」

「驚いたわ。急に立場が入れ替わったわね」

フレミーが言った。彼女を捕えているゴルドフも、アドレットを警戒《けいかい》の目で睨《にら》んでいる。

「さっきまでお前をかばっていた男だぞ、フレミー。力になってやったらどうじゃ」

「助けられないわ。助けるつもりもないしね」

モーラのけしかけに、フレミーは冷たく答える。

「……………扉を」

アドレットが絞《しぼ》り出すように言う。

「犯人は扉を一度開け、中に入った。そして開閉できなくなった扉を蝶番《ちょうつがい》ごと外し、新しい扉を作って神殿を封印した。それから犯人は神殿の中に潜んでいた。

俺が神殿の前に来た時、犯人は結界を作動させた。そして扉が開くと、俺の目を盗んで外に逃げた！　これなら侵入も脱出も可能だ！」

苦しい説明だった。それを聞いてハンスが笑いだした。何だそれしか思いつかないのか、と嘲《あざけ》るような笑い方だった。

「………この扉を作ったのは、先代の〈封印〉の聖者さまだよ。当代の聖者さまはまだまだ未熟で、こんな立派な扉を作るなんて、とても不可能だよ」

「それがどうした。先代の聖者が作ったんだろう?」

声が上《うわ》ずっている。動揺を隠せない。

「先代の聖者さまが死んだのは、四年前だ。扉の取り付けは、聖者さま以外不可能だ」

苦し紛《まぎ》れの回答まで否定された。アドレットは思わず叫ぶ。

「お前が七人目だ！」

もはや可能性はそれしかない。扉の話も、聖者の話も、全ては嘘。それ以外にありえない。

「……残念ながら、アドレットよ」

モーラが言った。

「ハンスの話は、全て事実じゃ」

もう、言い返す言葉が何も浮かばなかった。ナッシェタニアが震えながら言った。

「う、嘘ですよね、アドレットさん、こんなの、こんなのおかしいですよ」

もはや、アドレットの無実を信じているのは彼女一人だ。なぜこんなことに、とアドレットは思う。

罠《わな》だ。アドレットは罠にはめられた。七人目は結界の中に閉じ込めただけではない。六花同士、殺し合わせる罠まで仕掛けていたのだ。

「さて、どうするか。ひとまず全員、考えを聞かせてくれ」

「何の考えだ！」

アドレットは叫ぶが、モーラは何も答えない。答えるまでもない。アドレットは犯人か否《いな》か。そして、アドレットを殺すか生かすかだ。

「おらは当然、アドレットが犯人だと思うだな。即時抹殺《まっさつ》、だべよ」

ハンスが言った。

「反対です！　アドレットさんを殺す？　絶対にありえません！」

ナッシェタニアが叫ぶ。

「うーん、チャモはまだフレミーが気になるね。さっきの話もピンとこないし。とりあえずアドレットを拷問《ごうもん》してみようか」

チャモがくすくす笑う。本気なのか、冗談のつもりなのか。

「わたしはハンスの考えが正しいと思う。だが殺すのはもう少し状況を見てからでよい」

モーラがそう述べた後、五人の視線が向けられるのは、ゴルドフと、彼に鎖を握られているフレミーだ。まずフレミーが言った。

「意見はないわ。みんなの好きにすればいい」

「……フレミー」

アドレットがぎり、と歯を噛《か》みしめる。少し、ほんの少しでも味方してくれてもいいのに。

「そうか。ではゴルドフ」

ゴルドフが目を閉じて、しばし考える。フレミーの拘束が緩《ゆる》む。

「ゴルドフ、あなたにはわかっているでしょう。アドレットさんが敵のはずがない」

ナッシェタニアが言う。ゴルドフは目を開けて、静かに言った。

「……考えは、これだ」

その言葉と同時に、ゴルドフが動いた。背中に差していた槍《やり》を抜き、一瞬でアドレットとの間合いを詰めた。

「ゴルドフ！」

ナッシェタニアが叫ぶ。横に飛び、ゴルドフから逃げようとする。しかし、ほんの少し間に合わない。アドレットは槍をかろうじてかわした。しかし巨体に突き飛ばされ、神殿の壁に叩《たた》きつけられた。

同時に、ハンスが剣を抜いていた。アドレットに向かって跳躍《ちょうやく》する、その直前だった。アドレットはこの時、何も考えていなかった。だとしたら、この時彼を動かしたものは、いったいなんだったろう。

戦士の本能か、それとも無意識の条件反射か、あるいは運命というものか。

アドレットの手が動いた。小袋から取り出したのは数ある秘密道具の中でも、最も優《すぐ》れたものの一つ。見た目は、何かの金属片を紙で包んだものに過ぎない。しかしそれを握りしめると、紙の中の特殊な薬品と希少金属の欠片《かけら》が接触して化学反応を起こす。

「な!」

それは強烈な光を放った。太陽を直視した時の、数倍の光量だった。ハンスやゴルドフほどの相手だ。煙幕《えんまく》弾はおそらく通じなかっただろう。しかしこの未知の一撃には対応できない。全員が目を押さえて体を丸める。その一瞬の間に、アドレットの頭脳は激しく回転する。この六人から逃げ切る方法を探す。

閃いた策が、正解か否か。考える猶予《ゆうよ》は与えられていない。

アドレットは走った。フレミーのところへ。ゴルドフの手から離れた今も、手首を鎖で巻かれたフレミーのところへ。

勝つためにはあらゆる手を尽くす。周囲にある全てのものを利用する。決して手段を選んではならない。それが地上最強の男を名乗る、アドレットの信念だった。その信念が正しいかどうかは別として、彼は信念のままに行動した。

ハンスたちの視力が戻った頃、アドレットはフレミーの体を肩に担《かつ》いでいた。フレミーの腕には昏睡《こんすい》の毒針が刺さっていた。そしてアドレットの剣は、フレミーの首筋に当てられていた。

「全員、動くな。動いたら、刺す」

アドレットは言った。剣の先が首筋の皮膚《ひふ》を、数ミリ切り裂いた。アドレットを囲む五人は、凍《こお》りついたように動きを止めた。これしかなかった。昏睡の毒針は二本しかない。他の秘密道具では、決定的な隙を作れない。

「嘘……こんなの……」

ナッシェタニアの手から、剣が滑り落ちた。そして床にへたり込んだ。

「……語るに落ちたとは、このことじゃな」

と、モーラ。

「に、にゃあ、こりゃあちょっと想定外だべ」

取り囲む五人と、アドレットが睨み合う。当面の問題は入口をふさいだハンスだ。

「そこをどけ」

「どけと言われちゃ、どけねえだにゃあ。どくなと言われると、どきたくなるだよ」

「じゃあどくな。そこにいろ」

「どうするべかなあ」

ハンスは静かにアドレットの首をはねようと狙《ねら》っている。だが彼に、動く隙《すき》は与えない。

「……チャモに任せて」

そう言ってチャモが、猫じゃらしを動かす。それをモーラが止めた。

「待て、お前の能力ではフレミーも巻き込む。それはならんぞ」

「じゃあどうするのさ」

アドレットがしびれを切らして叫ぶ。

「相談することを誰が許した！　選べハンス、そこをどくか、どかないか！」

「にゃ、にゃあ！　わかったべ、どくから怒鳴るな！」

そう言って、ハンスが一歩扉から動いた。次の瞬間、アドレットは二発目の閃光《せんこう》弾を放った。アドレットを除く全員が、またしても目をくらまされる。しかし、さすがに二度目では効果も薄れる。

アドレットはフレミーを抱えたまま、扉を出た。その時、背中に衝撃が走った。ハンスの投げた剣が背中に突き刺さっていた。

「ぐっ！」

今度は煙幕弾を投げて、追ってくるハンスたちを足止めする。手持ちの秘密道具をありったけ使い、アドレットは逃げる。

塩の柱を抜けて森に入る。走って走って走り続ける。すぐ背後に迫る追手の足音から逃げ続ける。

背中が、熱く痛む。しかし剣を抜くわけにはいかない。剣を抜けば血が噴《ふ》き出して、すぐに動けなくなる。剣が突き刺さったまま、逃げ切るしかない。

「……くそ」

逃げながらアドレットは、これでよかったのかと考えた。よかったわけがない。こんなことをしたら、アドレットの無実を信じる者は一人もいなくなる。しかし生きのびるには、これしか方法がなかった。

何時間走っただろうか。霧がうっすらと赤く染まり、やがて薄闇《うすやみ》が取って代わる。日が暮れ始めていた。

いつの間にか、追手の足音は聞こえなくなっている。アドレットは立ち止まり、担いでいたフレミーを降ろした。そして地面にへたり込んだ。

一度へたり込むと、もう一歩も動けなくなった。頭に酸素が回らず、考えがまとまらない。フレミーが目を覚ます前に、剣を抜いて止血《しけつ》しなければいけない。それからフレミーに、もう一本昏睡の毒針を刺さなければいけない。なおかつ追手にも備えなければいけない。

だが、体がもう動かない。アドレットは地面に倒れ込む。意識が遠のいていく。

「……おい」

唇《くちびる》がかすかに動いた。アドレットは自分自身に呼びかける。気を失ったら終わりだぞ、と自分に言い聞かせる。しかしアドレットの意識は、引きずり込まれるように闇《やみ》の中に沈んでいく。

何をやっているアドレット・マイア。お前は地上最強の男だろう。こんなところで死ぬはずがない。心の中で呟きながら、背中に手を伸ばす。

背中の剣を抜こうとした手は、力なく落ちた。

そしてアドレットは、動かなくなった。


暗い森の中を、ハンスがアドレットを探して走っている。

「ハンス！　そこまでじゃ！　日が落ちた！」

闇に包まれた霧幻結界にモーラの声が響き渡る。ハンスが立ち止まって答える。

「にゃあ？　何を呑気《のんき》なことを言ってるだ！」

「これ以上は危険だ。アドレットはどんな手を使ってくるかわからん男だ。闇の中は奴の領域だぞ」

「あんなのにおらが負けるとでも？　それにフレミーが殺されるべよ」

「……ハンス。紋章を見せてくれ。わたしのは背中にあるから、自分では見れぬ」

「なんだべ」

ハンスが服をめくり上げて、胸の紋章を見せた。

「フレミーは殺されてない。まだ殺されてないということは、アドレットはフレミーに、人質としての価値を認めているということだ」

「……なんでわかるだ？」

「自分の紋章を見てみろ」

ハンスが自分の胸を見る。紋章は、先ほどまでと変わらずおぼろげな光を放っている。

「説明する暇《ひま》がなかったな。花弁《かべん》は六枚あるだろう。六花の勇者が一人死ぬと、この花弁が一枚欠ける。それで仲間の生き死にがわかる仕組みになっている」

「知らなかったにゃ」

「ゴルドフとチャモ、姫は神殿に引き返している。わたしたちも戻るぞ」

「……………」

ハンスは納得できない表情で、モーラの後について行く。神殿に帰ると、残りの三人が待っていた。

「だめだね。完全に見失ったよ。あいつすごく足が速いよ」

「背中を刺されてなおあの動き。あなどれん」

モーラがため息をつく。

「……仕方あるまい、探索はまた明日だ。それまでフレミーが生きてることを祈ろう」

そう言って、モーラは壁にもたれかかって目を閉じる。他の仲間たちも、思い思いに休息を取る。その中でナッシェタニア一人だけが、うずくまって頭を抱えている。

「……………アドレットさん、どうして、どうして、あんなことを」

その時七人目は驚いていた。アドレットの逃げ足と機転、そして幸運に。まさかあの包囲から逃げ延びるとは思わなかった。アドレットを他の連中より一枚格下と判断したのは誤りだったようだ。

しかしさしたる問題はない。どの道アドレットは詰《つ》んでいる。彼が仲間に殺されるのを、ただ待てばいいだけの話だ。

アドレットはしばらく泳がせておく。焦《あせ》る必要はどこにもない。


アドレットを追う五人が追跡を切り上げ、神殿に向かったころ。アドレットは倒れたまま、意識を失っていた。

闇の中でアドレットは、夢を見ていた。古く懐《なつ》かしい夢、幼《おさな》かったころの夢だった。

叫び声をあげながら、アドレットは棒きれを振り上げた。綿《わた》を巻いた小さな木の棒を、目の前の少年に叩きつけようとする。しかし少年はアドレットの攻撃を軽々と避《よ》け、逆にアドレットの肩に、木の棒を打ちつけた。

アドレットは、悲鳴をあげて棒きれを落とした。

「あはは、またアドレットの全敗だ」

少年が笑った。彼の名はライナ。アドレットの三つ年上の友である。

そこは白湖《はっこ》の国ウォーロ、山奥にある小さな村だ。五十人ほどの村人が、羊《ひつじ》を飼い、麦を作り、山のきのこを採《と》って暮らす平凡な村だ。平凡だからこそかけがえのない、アドレットの故郷である。名をハスナ村という。

羊たちが走り回る放牧場の片隅《かたすみ》で、アドレットとライナは剣の修業をしていた。この村に住む少年は彼ら二人だけである。二人は時間を見つけては綿を巻いた棒きれを振りまわしていた。

魔神の復活が近いという噂は、この田舎《いなか》の村にも届いている。白湖の国ウォーロは、魔哭領からそう遠くない。もしかしたら魔哭領の凶魔が、ここまで襲ってくるかもしれない。そう思って少年たちは、二人きりの防衛軍を組織したのだ。

「アドレット、もっと強くなれよ。これじゃあ凶魔どころか、うちのお袋にも勝てないぜ」

あちこち打撲痕《だぼくこん》だらけのアドレットを、ライナが抱え起こす。

「じゃあ、おばさんが防衛軍に入ればいいじゃないか」

「何言ってんだ。俺とおまえの防衛軍だ」

アドレットは、あざだらけの体をさすりながらぼやく。実はアドレットは、防衛軍ごっこに乗り気ではない。どうせ凶魔はここまでは来ないし、魔神は六花の勇者が倒してくれる。もしも凶魔がやってきたら、尻尾《しっぽ》を巻いて逃げればいい。アドレットはそう思っている。しかしただ一人の友人の頼みを、むげに断ることもできない。

「ライナ！　どこだ！　どうせアドと遊んでいるんだろ！」

遠くから、ライナを呼ぶ声がした。ライナの母親が、麦畑の手伝いをサボった彼を呼びに来ているのだ。ライナはぺろりと舌《した》を出して、母親とは逆の方へ逃げていく。

アドレットにとっては散々《さんざん》な一日だ。防衛軍ごっこに付き合わされた上、怒るライナの母親をなだめる役まで押しつけられた。

「ああ、おかえり。ずいぶんボロボロにされたねえ」

石造《いしづく》りの小さな家に帰ると、きのこのシチューの香りと、二十代半《なか》ばの女性がアドレットを出迎える。女性の名前はシェトラ。アドレットの保護者だ。

「姉ちゃん、ライナに言ってくれよ。もう練習試合は勘弁《かんべん》だって」

「自分でいいなよ。それにライナだって悪気があってやってるんじゃないんだから」

「うんざりだよ。強くなんかならなくていい。戦いなんて大嫌いだ」

そう言ってアドレットは、布の包みをテーブルに置いた。中からいい匂《にお》いが漂ってくる。

ライナが逃げた後アドレットは森に入り、きのこを探した。その日は滅多《めった》に見つからないきのこがいくつも手に入った。

「花傘茸《はながさだけ》じゃないか。ちょうどいいや、具《ぐ》がさびしかったところだよ」

シェトラが花傘茸を刻《きざ》んでシチューに入れると、焦《こ》げた肉の匂《にお》いに似た香《こう》ばしい匂いが漂ってくる。美味《おい》しいきのこを見つけるのはアドレットの趣味であり、一番の特技だった。

三年前の流行病《はやりやまい》で、アドレットは両親を、シェトラは羊飼いの夫を亡くしている。シェトラはアドレットを引き取り、それから二人は身を寄せ合って暮らしている。

シェトラが羊を飼って毛を刈《か》り、アドレットは羊のミルクからチーズを作る。それを他の村人に売って生計を立てていた。

アドレット・マイア、十歳の記憶である。このころ彼は満ち足りていた。シェトラは両親を失ったアドレットを優しく抱きしめてくれた。アドレットに笑顔を取り戻させてくれた。シェトラの体に染《し》みついた、土と家畜の匂いがアドレットは好きだった。

ライナも困ったやつだが、大切な友達だった。防衛軍ごっこはうんざりだが、彼なりにアドレットや村のみんなを思いやっていることはよくわかる。

他の村人も良い人たちだ。シェトラが作れば、アドレットがつたない技術で作るチーズを、美味しいと言って買ってくれる。

アドレットはこのころ、実に平凡な少年だった。六花の勇者になれると思ったことはない。なりたいと思ったことすら一度もない。得意なことはキノコ採り。今後の目標はもっと美味しいチーズを作れるようになることだ。

アドレットはいつまでも、こんな日が続くと信じていた。


それは夢だ。全ては過ぎ去った夢だ。


「……………なぜここに来た」

夢の場面が移り変わる。そこは森の中の家だった。鬱蒼《うっそう》と茂る森の中にある、洞窟《どうくつ》を改造して作った家とも思えない家だ。その中で一人の老人が、胡坐《あぐら》をかいて座っていた。

「アトロ・スパイカー。あなたに教われば強くなれると聞いた」

アドレットは無残な姿だった。服はすり切れ、体はやせ細っていた。その両手は血にまみれ、目はまるで、恨みを残して死んだ死者のようだった。

「山を降りろ。強くなりたいなら騎士団に入れ。庶民《しょみん》ならば傭兵《ようへい》団に入れ」

老人……アトロは野太くも静かな声で言った。

「それじゃあ届かない。強くはなれる。だけど地上最強には届かない」

「……地上最強？」

アトロの眉《まゆ》が揺れる。その表情は眉毛に覆われて解らない。

「普通の方法じゃ、地上最強になんてなれっこない。地上最強になるには、まともな道を踏み外さなきゃいけない。俺は地上最強の男になる。地上最強の男になって凶魔を倒す」

「なぜ強くなりたい」

老人の問いに、アドレットは答えた。

「奪われたものを、取り戻すために。誰よりも、誰よりも強くならなきゃ取り戻せない」

「諦めろ」

アトロは冷酷に言った。

「なくしたものは取り戻せぬ。諦めて生き延びろ」

「そういうわけにはいかない！」

アドレットが叫んだ。

「取り戻さなきゃいけないんだ！　そうじゃなきゃ、俺は何のために生き延びた！　魔神を倒せないなら、凶魔と戦えないなら、俺には生きている価値がない！」

アトロはしばし、アドレットの目を見つめて考えていた。

「俺を馬鹿だと思うか。地上最強になんて、なれるわけないと思うか」

　アドレットは涙を浮かべながら言った。

「馬鹿にされたって構わない。笑われたって構わない。俺は地上最強の男になると思い続ける。地上最強の男になると叫び続ける。そうでなければ、どうして強くなれる！」

　アトロは天を見上げて何かを考えていた。そしてゆっくりと立ち上がり、アドレットの腹を蹴《け》り飛ばした。息が止まり、何も入っていない腹から胃液がこみ上げてきた。

　アトロはアドレットの脇腹《わきばら》を、背中を、何度も蹴りつけた。顔を踏みつけて、地面にこすりつけた。そしてアトロは言った。

「笑え」

「……………え…………わ……ら」

　聞き返そうにも、言葉が出てこない。死にそうなほど痛い。

「強くなりたければ、笑え」

　アトロの蹴りが、アドレットの背中に突き刺さる。

「死んでしまいたいほど悲しい時。何もかも捨てて逃げ出したいほど苦しい時。光の見えぬ絶望の時。その中ですら、笑える者が強くなる」

　アドレットは、震える唇をゆがめた。頬《ほお》が引きつり、涎《よだれ》が垂《た》れ、到底《とうてい》笑顔に見えないが、それでもアドレットは笑った。

　それからアトロはアドレットを殴り続けた。顔を蹴られて鼻血が噴き出した。腹を殴られて吐瀉物《としゃぶつ》に血が混じった。それでもアトロは止めなかった。

血反吐《ちへど》を吐き、鼻血を垂らし、涙をぼろぼろ流しながらも笑うこと。それがアドレットがアトロから教わった、最初の戦いの技術だった。

目を覚ます。あいまいな、とりとめのない夢だった。

「………う、」

森の中だった。アドレットは自分がまだ生きていることに驚いた。

「………？」

倒れた時はうつ伏せだったはずだ。しかし今は、木の根を枕に仰向《あおむ》けに寝かされている。背中を触ると、刺さっていたはずの剣がない。傷が手当てされている。傷口が縫《ぬ》われ、包帯が巻かれている。誰が手当てをしたのだろう。ナッシェタニアが見つけてくれたのだろうか。

「起きたのね」

そのとき、声がした。霧に覆われた闇の中に、ぼんやりとフレミーの姿がある。

「急所は外れていたわ。休めばすぐに動けるようになる」

「お前が手当てしてくれたのか？」

聞きながらアドレットは体を起こした。

「そうよ」

「………なぜ？」

フレミーも、アドレットを七人目だと思っているはずだ。そもそも出会った時から険悪な仲だった。助けてくれる理由が判らない。

「私は九割九分あなたが七人目だと思っている。だけど完全に確信しているわけではない。私は残り一分の可能性に備えているだけ」

「……正解だ。俺は本物だ。魔神と戦うためにここに来たんだ」

「そう。信用しないわ」

そう言ってフレミーは顔をそむけた。

沈黙が落ちた。夜の森は静かだった。五人は夜になって捜索を諦めたのだろうか。追ってくる気配はない。

これから、どうすればいいのだろう。何としてでも無実を証明しなければいけない。しかしどうやって。

「情けない話だがな、俺には犯人がどうやって神殿の中に入ったか、見当もつかない」

「でしょうね。あなたが犯人だから」

「ハンスの話は事実なのか？　本当に扉を開ける方法はなかったのか？」

「彼ほど詳しくはないけれど、私も〈封印〉の聖者が作った扉については多少知っている。ハンスの言うことに間違いはないと思う」

「……」

「それにモーラも否定している。あの神殿に入る方法は存在しないわ」

だとしたら、本当に何も思いつかない。あり得るとしたら、ハンス、モーラ、フレミーの全員がグルということぐらい。しかし七人のうち敵は一人、六人は本物なのだ。

六花の勇者が進んで敵に加担することはあり得ない。つまり複数の者の意見が一致した場合、それは間違いなく事実だ。

「犯人はモーラかもしれない」

アドレットは言った。彼女は密室を破ることができる聖者は存在しないと言った。だがその証言が嘘だとしたらどうなる。彼女は神殿に侵入した聖者とグルだとしたら。

「……………あり得るかもしれない。だけど、証明することはできないわ。神殿に侵入した犯人を捕えて、その能力を全員に見せなければ」

「いや、彼女も知らない未知の聖者がいたのかも。お前のことも知らなかったし、未知の聖者が存在しないとは言いきれない」

「同じことね。その聖者を捕まえなければ、犯行の証明はできないわ」

とにかく結界を作動させた犯人を、捕まえなければいけないということだ。

「整理しよう。まず敵は二人かそれ以上。片方は集まった七人の中にいる。もう片方は神殿に侵入し、結界を発動させた奴だ」

これは間違いない。アドレット以外の六人には、結界を作動させることは不可能だった。結界が発動した時、フレミー、ナッシェタニア、ゴルドフの三人は凶魔たちと戦っていた。モーラとハンスは神殿に向かう途中だった。チャモだけは結界が発動した時の居場所が判らないが、彼女の能力でも神殿に侵入することは不可能だと証言されている。

「紋章を持って俺たちの中に紛《まぎ》れ込んでいる奴を七人目。結界を作動させた奴を八人目と呼《こ》称《しょう》しよう。こいつらは当然、凶魔たちとも手を組んでいる。凶魔は六花の勇者を神殿におびき寄せるために爆弾を落とし、俺とフレミーたちを分断するために襲撃《しゅうげき》してきた。おそろしく用意周到な計画だ」

「……疑問が残るわ。七人目は何のためにいるの？　私たちを閉じ込める計画なら、七人目がいなくても成立するわ」

「馬鹿。七人目がいなくちゃ、俺を七人目に仕立て上げられない。これは閉じ込めるための計画じゃない、俺に濡《ぬ》れ衣《ぎぬ》を着せて殺すための計画だ」

「それは思いつかなかったわ。あなたが七人目だと思っていたから」

話には乗ってくれているが、とことん信用されていないらしい。フレミーを説得し、味方にできればと思っていた。しかしどうやら、それも不可能らしい。

「ともかく、七人目については後回しでいい。最優先は八人目を見つけることだ」

「見つけられるの？　あなた一人で」

「………」

アドレットは沈黙せざるを得ない。あの五人の追撃《ついげき》を振り切りながら、正体も能力もわからない敵を探す。もちろん八人目がその辺をぶらぶら歩いているなんてことはありえない。見つからないよう、必死に隠れているだろう。

可能なのか、そんなことが。とうてい無理だとアドレットは思う。

だが、無理だと確信するたびにアドレットの顔がほころぶ。口元が緩《ゆる》み、心が浮き立つ。

「おかしな男ね。何を笑っているの?」

「笑うさ。相変わらず俺は地上最強の男だぜ」

アドレットは拳を握りしめる。

「こんなひどい状況だってのに、心がちっともへし折れねえ」

絶望を笑え。それはアドレットの師アトロが、最初に教えてくれたことだ。

「明日が楽しみだ。明日は俺が敵の策略を叩きつぶす日だ。俺の無実と、俺の地上最強が、同時に証明される日だ。日が昇るのが待ちきれないぜ」

アドレットは笑い続ける。八人目の正体はさっぱりわからない。仲間たちの追跡から逃げられるとも思えない。しかし笑えなくなれば全て終わりだ。

「妄想《もうそう》ね」

「違う。意思だ」

アドレットは笑いながら、八人目の正体と能力について考える。何か手掛かりを見落としていないか、不自然な点はなかったか、記憶を探る。

しばらく考えていると、突然フレミーが口を開いた。

「どうして、六花の勇者を目指したの?」

なぜか新鮮な驚きがあった。フレミーはずっと仲間に無関心だった。彼女が他人に興味を持つのは、たぶん初めてのことだ。

「なぜそんなことを聞く」

「あなたが、凡人《ぼんじん》だから」

「……………」

「ハンスは天才だわ。ゴルドフもそう。だけどあなたは違う。あなたは珍《めずら》しい武器をたくさん持っているだけの、ただの凡人よ」

「……俺が弱いと？　この地上最強の男である俺が」

「そうは言ってないわ。どうしてあなたのような凡人が、そこまで強くなれたのか。それが疑問なの」

アドレットは返事をしなかった。ハンスやゴルドフは天才で、アドレットは凡人。そのことは否定できなかった。まともな剣技や体術では、彼らの足元にも及ばない。

「……師匠のおかげさ」

とアドレットは言った。

「言っちゃなんだが、師匠はどうかしている人だった。凶魔を倒すことに取りつかれた人だった。師匠は山奥で一人、延々《えんえん》と新しい武器を考えていた。その使い方を編み出していた。それ以外何もしない人だった。人間とは思えなかったよ」

「……………」

「俺は師匠から戦い方を叩きこまれた。毎日反吐《へど》を吐いて動けなくなるまで修行をして、それが終わったら机に縛りつけられるようにして勉強した。秘密道具の作り方や毒薬、火薬の精製方法、さらには最先端の科学知識まで」

「……科学？　そんなものまで？」

「師匠には感謝している。強くなれたのは師匠のおかげだ。まともな戦い方じゃ地上最強になんかなれなかった」

「その男、知っているわ」

アドレットはフレミーの顔を見た。

「アトロ・スパイカー。私の抹殺《まっさつ》対象の一人だったわ。老齢だったから、優先順位は低かったけれど」

「そう、その人だ」

「彼の弟子《でし》は、全員逃げたと聞いていたわ。過酷《かこく》な訓練に耐えかねて」

「その情報は間違いだ。俺だけが、逃げなかった」

「なぜ耐えられたの？」

アドレットは答えない。

「何か、あったのね。六花の勇者を目指さなければいけない理由が」

ふとアドレットは、牢獄《ろうごく》の中でナッシェタニアと話した時のことを思い出した。ナッシェタニアはあれこれ聞いてきたが、アドレットは全てを話したりはしなかった。

重すぎて、容易《ようい》には語れない。そんなこともある。

「……俺が子供のころ、村に一匹の凶魔が来たんだ」

しかしアドレットは、この時なぜか自然に過去のことを話していた。

「信じられなかったよ。凶魔なんて遠い世界の存在だと思っていた。俺の親友が、棒きれ一本持って凶魔に殴りかかろうとして、俺は泣きながらそれを止めていたんだ」

「どんな凶魔？」

「人型だった。体は緑色と肌《はだ》色のまだら模様だった。あの時は天を突くほどでかく見えたが、たぶんそれほど大きい奴じゃなかったと思う。ゴルドフと同じぐらいだ」

「三枚、翼が生《は》えていたでしょう？　背中に鴉《からす》のような翼が三枚」

その通りだった。

「知ってるのか」

「話を続けて」

「……………そいつは、人を襲うでもなく喰《く》うでもなく、ただ笑いながら俺たちに近づいてきた。そして、俺の頭を撫でたんだ。優しく、信じられないほど優しくな。

その凶魔は、村の大人たちを呼んで、一か所に集めた。俺たちは寝ているように言われた。まさか寝られるわけがねえ。俺は姉さんに抱きしめられながら、ただ震えていた」

「それで？」

「次の朝、もう凶魔の姿は村になかった。殺されるどころか傷つけられた人もいなかった。俺は一安心したよ。そうしたら、村長が言ったんだ。この村は魔哭領に移住し、これから魔神の支配を受けるってな」

「……」

「人間の世界は終わる。六花の勇者は絶対に勝てない。大人たちは口々にそう言っていた。だけど今魔神の味方につけば、命だけは助かる。大人たちはみんなそう信じていた。たった一晩話をしただけで、村の人は別人みたいになっていた。

俺はどうすればいいのかわからなかった。怖くて震えているだけだった。それに立ち向かったのは、俺の姉さんと、俺の親友だけだった。

だけど凶魔はこうも言っていた。魔神に忠誠を誓《ちか》う証《あかし》として、反対した村人の心臓をえぐって持ってこいと」

「あれが、言いそうなことね」

やはりフレミーは、あの凶魔のことを知っている。

「どういう奴だ？　あいつは」

「全ての凶魔を束ねる、三体の統率者《とうそつしゃ》。そのうちの一体よ。凶魔と人の間に子供を作ることを思いつき、母さんに私を産むよう命じたのがそいつ」

「……」

「話を続けて」

「二人は最後まで、村人を憎《にく》まなかった。悪いのはあの凶魔で、村のみんなじゃない。村のみんなを憎むなと親友が言っていた。必ず元に戻るから、いつかまた仲良く暮らせるからと姉さんが言っていた。またきのこを採ってきてねと、また一緒に防衛軍を作ろうと、そう言っていた」

「……二人はどうなったの？」

「親友は、俺をかばって死んだ。姉さんは、俺を逃がすために死んだ。俺だけが生き延びた」

アドレットはそう言って、言葉をとぎらせた。

「何の話だったかな。そうか、俺が強くなった理由だったな」

目を閉じ、二人の顔を思い浮かべながらアドレットは言う。

「この話をしたときにな、師匠が言っていたよ。お前が強くなれたのは、姉さんと親友のおかげだと。いつか必ず元に戻る。いつかまた仲良く暮らせる。お前は今もその言葉を信じているから強くなれた。復讐《ふくしゅう》のためでは人は強くなれない。信じるものがあるから強くなれると」

「……」

「これでいいか？」

思いがけず、長い話になった。だが夜は長い。話す時間ならいくらでもある。

「うらやましいわ」

と、フレミーが言った。アドレットは耳を疑った。

「今、なんて言った？」

「うらやましいわと言ったのよ」

背中の痛みも忘れて、アドレットは立ち上がった。腰の剣に手が伸びていた。

「なんて言った？　まさか、うらやましいと言ったんじゃないだろうな」

「うらやましいわ。私にはその信じるものすらない」

「……………」

腰の剣から、手が離れた。アドレットはまた座りこんだ。

「私の大切な人は、私を捨てたわ」

「……どういうことだ」

「私を産み、育てた凶魔。私に銃をくれた、〈火薬〉の聖者の力をくれた、そして幸せをくれた凶魔。それに捨てられたのよ」

アドレットは相槌《あいづち》を打たなかった。フレミーが語るに任せた。

「さっきも話した通り、私は凶魔に囲まれて育ったわ。今日倒したような、下級の奴らじゃない。知恵と勇気、魔神への忠誠心を持った立派な凶魔たちよ。私はみんなを愛していた。みんなも私を愛してると信じていた」

「……………」

「私は母さんの命令でたくさんの人を殺したわ。疑問には思わなかった。それどころか、もっと頑張って殺さなければいけないと思っていた。

私は汚い人間の血が入った半人前の凶魔。だから、他の凶魔よりも頑張って魔神に尽くさなければいけないと思っていた。半人前の凶魔でも、人間をたくさん殺せれば、一人前の凶魔と認めてくれる。そう思っていた」

そう言ったフレミーの表情は、今までよりも幼げに見えた。

「だけど、雑魚《ざこ》を何人殺しても魔神に貢献《こうけん》できないこともわかっていた。この世界の最強の六人、その一角を崩《くず》さなきゃいけなかった。ナッシェタニアやモーラは、周囲の警戒が厳重で近づけなかった。私はチャモに挑《いど》むことにしたわ。

チャモを倒せば一人前の凶魔として認めてくれると信じていた」

「……負けたんだったな」

「後悔しているわ。あれに挑むぐらいなら、ナッシェタニアやモーラを狙えばよかった。手も足も出ず、逃げることしかできなかったわ。それにヘマもした。挑発《ちょうはつ》に乗って名前まで名乗ってしまった」

どんな戦いだったのか、想像もつかない。

「命からがらねぐらに戻った私を……母さんは殺そうとしたわ。仲間だと思っていた、他の凶魔たちも。私はもう用済みだった。そこで死ねばまだよかったのかもしれない。だけど私は逃げ切った」

フレミーは額を撫でた。そこには凶魔の証である、角の傷痕がある。

「……許せないのは、殺そうとしたことではない。私を愛するふりをしたことよ。私が操《あやつ》り人形なら、裏切られても苦しいと思うことはなかった。始めから裏切るつもりなら、そんな風《ふう》に育てればよかったのに。人間と戦うための、奴隷《どれい》として育てればよかったのに。母さんは……母さんは……」

フレミーは、拳を握りしめていた。

「母さんは、私を愛するふりをした」

「………復讐か」

「殺すだけじゃ飽き足らなかった。母さんが命を賭《か》けたものをぶち壊してやらなきゃいけない。魔神を倒してやらなきゃ気が済まない。魔神を倒したら、母さんに言ってやるわ。後悔しろ。あんたがしてきたことの結果がこれだと」

フレミーに出会った時、アドレットは彼女を放っておけないと思った。その理由がやっとわかった。彼女は自分に似てるのだ。彼女の抱える痛みは、自分の痛みと同じなのだ。信じていた人たちに裏切られ、帰る場所を失った痛み。憎しみに身を焦がす痛み。

復讐は無意味。復讐は間違えている。復讐は何も生まない。そんなことを言う人間は多い。しかし彼らはわかっていない。意味があるから、正しいから、何かを得られるからそうするのではない。そうする以外、どうすることもできないから復讐をするのだ。

「あの頃は満ち足りていたわ。母さんがいて、友達もいた。みんなで遊んで、みんなで戦ったわ。犬を飼っていたの。今はどうしてるかしら。まだ餌《えさ》をもらえてるのかな。それとももう捨てられたのかな」

フレミーは独《ひと》り言《ごと》のように話し続けた。

「なあ、フレミー」

「何？」

「なんというか、がんばれよ」

本心から応援したつもりだった。少しは喜んでくれるだろうと思って言った。しかし返ってきたのは、より冷たい、そして疑いのこもった視線だった。

「アドレット、なぜ疑わないの」

「……………え？」

「なぜ今の話が本当だと思えるの？　作り話だと考えないの？」

「何を言ってるんだ、フレミー」

「あなたが本物だと言うのなら、一番に私を疑うはず。あなたの視点から考えれば、どう考えても一番怪しいのは私よ」

「……………確かにそうかもしれないが」

「あなたが本物である場合、あなたはまず私が七人目である証拠を見つけようとするはず。なのにあなたはそれをしない。それだけでも、あなたを疑う理由としては十分よ」

妙な理屈だとアドレットは思った。だが彼女の立場から見れば、理《り》のない話ではない。

「それは…………」

アドレットは答えを探した。様々な言葉が浮かぶが、どれもしっくりこない。この気持ちをうまく言葉にできない。

最初にフレミーに出会った時のことを思い出す。随分《ずいぶん》昔に思えるが、実はそれは今朝のことだ。あのときの気持ちを、必死に言葉に表す。

「俺は、お前が敵だと思いたくないんだ」

「……理解できないわ。あなたが本物だとしても、七人目だとしても」

「か、勘違《かんちが》いするなよフレミー。別にお前が好きになったわけじゃねえからな」

「そんな話はしてないわ。気持ち悪いこと言わないで」

フレミーは吐き捨てるように言った。

「私には理解できない。あなたのことが、本当に全く理解できない」

そう言いながら、ふいにフレミーは立ち上がった。

「神殿に戻るわ。たぶん、ほかの五人はそこに集まってる」

「行っちまうのか」

「当然でしょう」

フレミーの姿が、闇の中に消えていく。互いに過去を話し、少しはわかり合えたと思った。しかしそれも、一瞬の錯覚《さっかく》だったのだろうか。闇に向かってアドレットは呼びかける。

「一緒に来てくれねえか」

立ち止り、フレミーは少し考える。

「いろいろ話したけれど、やはりあなたが一番疑わしいことに変わりはない」

「……そうか」

「だけど、一度ぐらいなら話をきいてあげてもいいわ」

闇の中からフレミーが何かを投げてきた。火薬を丸めた小さな癇癪《かんしゃく》玉《だま》だった。

「私の能力……〈火薬〉の神の力で作ったものよ。地面に叩きつけたら破裂する。そうすればどこで破裂したか私に伝わるわ」

「これを使えば、お前を呼びだせるってことか」

「勘違いしないで。あなたを信用したわけではない。次に顔を合わせた時は、あなたを殺す時かもしれない」

「……………」

「使う使わないは、あなたの勝手」

そう言ってフレミーは、闇の中へと消えていった。

アドレットは闇を見つめながら考えた。彼女と話して、一つだけ確信したことがある。フレミーは絶対に敵じゃない。理屈ではなく心で確信した。

彼女を守りたいと思った。魔神から、そして七人目から。

「フレミー。お前は俺が守る。お前だけじゃねえ、ナッシェタニアも、ほかの仲間も、みんな俺が守ってやるからな」

返事はなかった。アドレットは寝転がり、霧に覆われた暗い空を見つめた。

空を見つめながら、アドレットは過去を思う。

それは五年前のこと。アトロのもとで少しずつ、地上最強に近づいていた日々のこと。アドレットは一度だけ、故郷の村に帰ったことがある。そこは一面の焼け野原となっていた。

そこには何も残っていなかった。友と過ごした場所も、姉と過ごした家も、何も残っていなかった。失ったものは戻らない。焼け野原になった村は、アドレットにそのことを伝えていた。

アドレットは思う。復讐のために強くなったのではない。憎いから戦うのではない。
もう二度となくさない。そのために強くなったんだ。
しかしそうは思っても、守りたい人はつれないのだった。

四章
反攻

この時七人目は、ひそかにこう考えていた。

アドレットを自分の手で殺すことは、上策ではない。アドレットを殺すのは、なるべく六花《ろっか》の勇者の誰かに任せたい。

上手《うま》くいけば、アドレットを殺した者に全《すべ》ての罪をかぶせることもできる。それができなかったとしても、六花の勇者の信頼関係には大きな亀裂《きれつ》が入るはず。その亀裂を利用しながら、決定的な仲間割れが起きるよう、上手く立ちまわっていけばいい。

この先は何が起こるかわからない。大切なのは柔軟《じゅうなん》さだ。状況をよく見ること。一つの発想にとらわれず、利用できるものを的確に利用すること。そして何よりも、自分自身が疑われないことだ。

それができれば、勝利は向こうから転がりこんでくる。

さて、アドレットを殺してくれるのはいったい誰だろう。

フレミーが神殿に戻ると、すでにチャモとナッシェタニア、ハンスは眠りについていた。モーラとゴルドフが、神殿の外で見張りをしている。

「やはり生きていたか。アドレットはどうした」

モーラが言った。

「逃がしたわ。手負《てお》いだったし、できれば捕えたかったけれど、銃がなかったわ」

「そうか。お前も寝るといい。詳《くわ》しい話は明日の朝じゃ」

　フレミーが神殿に入ると、ゴルドフが声をかけた。

「疑ってすまなかった」

「……別にいいわ。普通の人なら疑うから」

　そして夜が明けた。フレミーはアドレットにさらわれてからのことを、五人に話した。それから自分自身のこと、特に魔神《まじん》と戦う理由を語った。

「薄情なものじゃな、凶魔《きょうま》というのは」

　モーラが眉をひそめた。

「ひどい話だね、もしそれが本当なら」

　とチャモが言った。

「チャモよ。まだお前はフレミーのことを疑っているのか。すでにはっきりしている。フレミーは大切な仲間じゃ」

　モーラがたしなめると、チャモはくすくす笑った。

「にゃひひ、おらあちょっと不安になってきただなあ。そいつを仲間と思っていいべか？」

「ハンス。お前まで何を言う」

「おめえ本当にアドレットと戦ったんだか？　おらの投げた剣、結構深く刺さってたべ？」

「急所は外れていたわ。あなたも口ほどは強くないわね」

「アドレットはおめえをたいそう可愛《かわい》がってただなあ。疑われればかばう。チャモが拷問《ごうもん》すると言い出したら怒って止める。アドレットにときめいちまっても無理はねえべ」

「あなた、すごくうっとうしいわ」

「にゃひ、女心は永遠の謎だべ。口と内心が一致しねえ」

「ハンス、少し黙れ」

モーラがそう言うと、ハンスはわざとらしく驚いて口をつぐむ。

「わたしも疑問ではある。フレミーよ、お前はアドレットをどう思っていた。奴《やつ》が七人目とわかってどう感じた？」

「ああ、やはりと思ったわ」

「やはり、とは？」

「あの男は私に取り入ろうとしていたわ。わざとらしく心配して、私の信頼を得ようとしていた。その理由が判《わか》って納得できたわ」

「にゃひひ、恐ろしい女だにゃあ。アドレットも報《むく》われねえ奴だべ」

フレミーがハンスを睨《にら》みつける。

「それよりもアドレットのことだ。どうやって捕まえる」

ゴルドフが言うと、ハンスが神殿の隅《すみ》に置かれた鉄箱を見て言った。

「あいつの武器はほとんどここにあるべ。あいつはこれがなきゃ戦えねえべな、ここで待ってりゃ取りに来ると思うだにゃあ」

フレミーが反論する。

「そうとは限らないわ。彼はまだある程度武器を隠し持っている」

「おらたち全員と戦えるほどはないべよ」

「だからと言って無策でいいとは思わない」

ゴルドフが言う。

「こちらから動くべきだ。時間は有限だ。手分けをして追うべきだろう」

「ゴルドフの言うとおりだ」

と、モーラ。

「二人一組で行動する。まずはフレミー。わたしとともにアドレットを探すぞ」

フレミーが頷《うなず》く。

「姫はゴルドフと組んでくれ。くれぐれも手心を加えてはならん。ゴルドフ、姫を頼むぞ」

ゴルドフが頷く。ナッシェタニアは不安そうにゴルドフを見る。

「チャモとハンスはここに残り、アドレットを迎え撃て。ぬかるでないぞ」

「にゃ？　きれいな姉ちゃんが一緒じゃないとやる気半減だべよ。ゴルドフと代わってくれねえだか？」

ハンスの文句は全員に無視される。

「全員異存《いぞん》はないな。さっそく行くぞ」

その時チャモが言った。

「いやだよ。チャモは待つのが嫌いなんだよ」

「そうか、ではフレミーがここに残り、チャモはわたしと一緒にこい」

「あっちこっち歩きまわるのもいや。チャモは結界《けっかい》が解けるまでその辺で遊んでるよ」

「……少し叱《しか》っていいか、チャモ」

モーラの額《ひたい》に青筋《あおすじ》が立つ。ハンスが笑って言う。

「大丈夫だべ。あんな奴おら一人で十分だべよ」

「……なんと頼りがいのある仲間たちじゃ。まあよい、迷子にならないよう、注意するんだぞ。遠くに行かないようにな」

ナッシェタニアとゴルドフが、西に向かって出発する。モーラとフレミーが逆の方向に向かおうとする。そのときハンスが、フレミーを呼びとめた。

「なあ、フレミー」

「何？」

「おめえ本当に凶魔と戦えるだか？」

「どういうこと？」

「大事な大事な母さんが目の前にいて、ごめんなさい、許して、ずっと後悔していたの、また一緒に暮らしましょう。そう言われておめえは母さんを殺せるか？」

「殺せるわ。嘘《うそ》だとわかっているから」

「違うね」

フレミーが怒りを込めてハンスを見る。

「おらは殺し屋だべ。たくさん依頼を受けてきただ。妻に裏切られた夫。親に捨てられた子供。

そいつらがおらに殺してくれと言ってきただよ。だけどなあ、そういう仕事で喜ばれたことは一度もねえだ。土壇場《どたんば》でやっぱり殺さないでくれって言われるのが大半だにゃあ」

「………それが何？」

「……まあ、そんなことはどうでもいいだな」

「行くぞフレミー」

モーラが言った。ハンスに背を向け、二人は森の中へと走り出した。


神殿を出てしばらく走った後、ナッシェタニアが急に立ち止まった。そして後ろを振り返り、何度も辺《あた》りを見渡した。

「どうしたのですか」

先行する彼女についてきていたゴルドフが、その態度に戸惑《とまど》う。

「ゴルドフ。突然おかしなことを聞くけれど、あなたはわたしを信用する？」

ナッシェタニアはゴルドフの目を、まっすぐに見据《みす》えて言った。

「もちろんです。姫以外の誰を信用するのです」

しかしその返答に、ナッシェタニアは表情を曇《くも》らせる。

「質問の意味をわかってないわ。わたしが聞きたいのは、わたしの考えに何も言わず賛同してくれるかということ」

「姫、何を考えているのです」

ナッシェタニアはゴルドフの目をずっと見据えている。

「アドレットさんは七人目ではない。これから、それを証明するために行動するわ」

「姫！」

ゴルドフが叫ぶ。

「今だけでいいの。何も言わずに同意して。わたしにはわかる、アドレットさんは罠《わな》に落ちて、わたしの助けを待っているの！」

「頷くわけにはいきません。姫のお言葉でも、それだけは」

「何の考えもなしに言っているのではないわ」

ナッシェタニアが食い下がる。

「気になることがあるの。まだ何の証拠もない、ただの勘違《かんちが》いなのかもしれない。だけど、もしかしたら真実に至《いた》る手掛かりなのかもしれない」

「誰を疑っているのですか」

ナッシェタニアは静かに答えた。

「………ハンスさんよ」


そして同じころ、アドレットも動いていた。足跡を残さないよう、木の枝の上を音を立てずに走る。たまに立ち止って周囲の音を聞き、誰も近づいてこないのを確認してまた進む。

アドレットは神殿へと向かっていた。神殿で八人目が存在した証拠を見つければ、アドレットへの疑惑はひとまず解ける。森をやみくもに走り回り、八人目を探すよりも効率的だ。

六人はどう動いているだろうか。木の上を飛び移りながら、アドレットは考える。

おそらく六人は、二人一組か三人一組で行動し、アドレットを探している。奇襲《きしゅう》を警戒《けいかい》するなら、それが合理的な判断だ。

二人一組で行動しているとしたら、かなりまずい。誰か一人は、七人目と二人きりになっているということだ。油断した仲間を殺し、その罪をアドレットになすりつける。七人目の次の策は、それかもしれない。

急がなければならない。七人目が次の策を打つ前に。

神殿の調査は可能だろうか。最低でも二人が、神殿に守りについているはずだ。だが、その中にナッシェタニアかフレミーがいれば手はある。ナッシェタニアかフレミーの協力を得て、神殿の中を無人にしてもらう。あるいは正面から交渉《こうしょう》し、神殿の中に入る。

我ながらひどい策だ。行き当たりばったりで運任せ。しかし今はこれしかない。

「……………よし」

追手とぶつかることなく、神殿にたどり着いた。ツキに見放されてはいないらしい。また木に登り、遠眼鏡《とおめがね》を取り出して様子を探る。神殿周辺に人影はない。

中で待ち伏せているのだろうか。アドレットは神殿の裏手に回り、慎重に近づく。そして屋根に飛び乗り、耳を当てて中の物音を聞く。

「……………」

中からは、何の物音も聞こえてこない。まさか無人なのか、あるいはアドレットをおびき寄せる罠なのか。罠だとしたら、仕掛けたのは仲間の誰かなのか、それとも七人目なのか。

その時ぞくりと殺気を感じた。考えるより先に、体が反応した。

「にゃにゃあ！」

アドレットが横に転がって攻撃を避《よ》けるのと、屋根に剣が突き刺さるのは全く同時だった。

その男はかすかな物音も立てず、アドレットの背後へと迫っていた。

「よお、来ると思っただよ。アドレット」

「てめえか、ハンス」

忘れていた。この男が暗殺者だということを。不意打ちと罠はこの男の専門分野だ。アドレットが来ることを予期して、あらかじめ森のどこかに隠れていたのだろう。

ハンスが屋根に突き立った剣を引き抜いた。両手にそれぞれ鉈《なた》のような剣を持ち、手首だけでくるくるとまわした。遊んでいるようでいて、そのくせ隙《すき》がない。奇妙な動きだった。

「卑劣技《ひれつわざ》だけが武器と思ってたべ、おめえ、思ったよりやる奴だにゃ」

ハンスは不意打ちが外れたことに、驚いているようだった。

「まいったな。会っちまったか。やるしかねえみてえだな」

アドレットが剣を抜き、ハンスに向ける。しかしそれは見せかけだ。交渉の余地がない以上、すでにアドレットは逃げの一手しか考えていない。

「殺す気でかかってきた方がいいだよ。でねえと、一瞬で決着がついちまうだべ」

ハンスは剣を振りながら、満面の笑みを浮かべていた。戦うことが楽しくてたまらないとでもいうように。

「そっちから来いよ。胸を貸してやるぜ」

「にひ。にひひ。うにゃにゃにゃにゃあ！」

ハンスが、奇声《きせい》を上げて飛びかかってくる。狙《ねら》い通りだとアドレットは思った。初撃を止めて、その隙に煙幕《えんまく》弾を顔に叩《たた》きつける。

しかし、アドレットに切りかかる直前。ハンスは両手両足を使ってブレーキをかけた。アドレットが虚《きよ》を突かれた隙に、回転蹴《げ》りで左手の煙幕弾が弾《はじ》き飛ばされた。

「にゃ。同じ手は、何度も通じないべ」

回転蹴りの勢いを利用して、ハンスが剣を振るう。アドレットは背後に飛び、かろうじて剣を避ける。ハンスはさらに体をねじりながら跳躍《ちょうやく》する。

二人は神殿の屋根から落ちた。着地したアドレットは、ハンスが頭から落ちてくるのを見る。逃げる好機だと思った時、ハンスは剣を握ったまま拳《こぶし》で着地し、そのまま腕の力だけでアドレットに向かって突進した。

「な！」

宙を舞いながらの突き。剣の腹で受け止めるのが精一杯《せいいっぱい》だった。全体重を乗せた一撃に、アドレットはバランスを崩《くず》す。ハンスはまたしても手で着地し、あろうことか逆立ちしたまま走った。そして前方に回転しながら、両手の剣でアドレットの頭を狙う。

「ぐう！」

さして大柄でもないハンスの攻撃が、恐ろしく重い。受け止めるだけで、肩が悲鳴を上げる。

ハンスの連続攻撃は続く。重力など存在しないかのように、逆立ちをし、前転側転を繰り返し、両手両足が自在に動いてアドレットに襲《おそ》いかかる。

これが人間の動きか、とアドレットは思った。予期せぬ方向から、攻撃が飛んでくる。ふざけているとしか思えないのに、一切の無駄がない。まるで手毬《てまり》で遊ぶ猫のように、アドレットにまとわりついて離れない。

「ちい！」

袖《そで》に仕込んだ毒針を放ち、足に隠した釘《くぎ》でハンスを狙う。しかしどれも当たらない。当たるわけがない。

アドレットの武器は、全て相手の意表を突いて使うものだ。だが今はアドレットの方が意表を突かれている。

「うにゃ！」

苦し紛《まぎ》れの蹴りが、ハンスの腹に命中した。ハンスの両手から、剣が離れた。その隙に煙幕弾を放とうとした刹那《せつな》。

「うにゃにゃ！」

ハンスは空を飛んだ剣を両足で掴《つか》んだ。そして両腕の力で、体を錐《きり》もみ状にねじりながら、アドレットに向かって跳んだ。足での攻撃はなんとか剣で受けとめた。しかしその隙にハンスの手がアドレットの足を摑んで引き倒した。

「しまっ……」

うつ伏せに倒れるアドレット。悲鳴をあげる暇《いとま》もない。瞬時に立ち上がったハンスが、剣をアドレットの首筋に当てていた。

見事な、そして実にあっさりとした決着だった。アドレットの完全な敗北だった。アドレットは呆然《ぼうぜん》と、首筋に当てられた剣の刃《やいば》を見ていた。

ハンスの刃は、アドレットの動きを完全に封じていた。かすかにでも動けば、すぐに首がはねられる。

「にゃ。残念だったべなあ。アドレット」

笑いながらハンスが言った。

「悪くない策だったべ。六花の勇者の偽者《にせもの》になりすますってのは、なかなか思いつかねえだよ。おらさえいなければ、もうちょっと上手に騙《だま》せたかもしれねえ」

「……ハンス、俺は」

「偽者じゃねえ、とでも言うつもりかにゃあ？　そりゃあ通らねえだよう」

ハンスはにやにやと笑っている。

「人質とった時にゃ、おらあぶったまげただよ。もうちっと、頭の回る男だと思ってただ」

やはり、あのときの行動は失策だった。いまさらながらにアドレットは後悔する。しかし、過ぎたことを悔《く》やんでいる暇《ひま》はない。今はこの状況を切り抜けなければいけないのだ。

「んで、吐いてもらおうか。おめえは誰の命令で動いていた？　どんな理由で人間を裏切り、魔神の味方についただか？　ちゃんと話せば、悪いようにはしねえだよ」

「………言えねえな。偽者じゃねえから」

「遠慮することたねえだよ。おらにゃわかるだ。語るも涙、聞くも涙の理由があるんだべ？　病気のおっかさんに薬がいるだか？　可愛い恋人が人質に取られてるだか？」

「家族はいねえ。恋人もない。何度でも言うが、俺は偽者じゃない」

「………にゃあ、じゃあ死んで悲しむもんはおらんのだな」

ハンスの剣が、アドレットの皮膚《ひふ》を切り裂く。それと同時に、アドレットは動いた。彼の秘密道具は、まだ尽きたわけではない。

アドレットの袖の中に延びる、一本の紐《ひも》。それを指でつまんで引いた。次の瞬間、腰の小袋が音を立てて破裂し、黄色い煙が周囲に広がった。

「ぐにゃあ！」

ハンスが目を押さえて悲鳴をあげた。破裂したのはただの煙幕ではない、凶魔も人間も、等しく動きを止める催涙弾《さいるいだん》だ。

「ちきしょう、使わせやがったなくそったれ！　これめちゃくちゃ痛いんだぜ！」

至近距離《しきんきょり》で食らったアドレットの方が、ダメージははるかに大きい。それでも、アドレットはハンスの拘束《こうそく》から逃れた。ハンスに背を向けて逃げようとする。しかし目の痛みでまっすぐ走れず、塩の柱に顔から激突した。

「にゃにゃにゃ！　おめえ、どんだけ粘《ねば》る気だよ！」

「逃げ切るまで粘るに決まってるだろ！」

互いに涙目をこすりながら、ハンスとアドレットは戦う。切り札は使ってしまい、手持ちの秘密道具も残り少なくなっている。

アドレットは確信していた。この男には勝てない。少なくとも正面からでは、逃げることもできないだろう。よほどの策で意表を突かない限りは。

視界はほとんどないにもかかわらず、ハンスの攻撃は熾烈《しれつ》を極《きわ》めた。足元から、頭上から、あらゆる方向から剣を振ってきて、踊るようにまとわりつく。

「……………天才め」

アドレットは呟《つぶや》いた。

間違いなくハンスは天才だ。十万人に一人か、百万人に一人か、あるいは世界でたった一人の才能を持つ者だ。そうでなければ、この剣術は操《あやつ》れない。

アドレットは違う。彼は凡人《ぼんじん》だ。どうしようもなく凡人だ。

しかし、アドレットは思う。凡人では地上最強になれないと、どこの誰が決めた。

「逃がさねえだにゃあ！」

前方宙返りをしながら、ハンスが襲いかかる。どんな攻撃が繰り出されるのかアドレットには予想もつかない。剣と鞘《さや》で守りを固め、頭上から降ってくる攻撃を防ぐ。着地と同時にハンスが側転をする。両手の剣と蹴りの同時攻撃。剣を防いだ隙に、蹴りが腹に突き刺さる。

「はっ！　全然効《き》かねえなあ！」

反吐《へど》を吐きそうになりながらアドレットは叫ぶ。

アドレットに戦いを教えた男は一切の手心を加えなかった。アドレットは地獄の中で強くなった。体を鍛《きた》え、剣を振り、秘密道具の使い方を学び抜いた。しかし努力を重ねるほどに痛感する。天才と凡人の間には、越えられない壁が横たわっていることを。

「こっちだぜ！」

ハンスが跳躍した瞬間、最後の煙幕弾を足元に叩きつける。そのまま身を伏せて走り、ハンスの体の下をくぐり抜ける。

努力のおかげで、攻撃を防ぐことはなんとかできる。しかしその先には届かない。天才を超えることは、凡人にはできない。

だがしかし。実力で負けても、勝つことはできる。天才でなくても、天才に勝てる。アドレットはそう信じてここまで来た。

「……………はあ、はあ」

長い間、二人は戦った。ベルトの中の道具は、ほとんど尽きている。ハンスはほとんど無傷で、アドレットは体中傷だらけだ。

だがハンスにも少しだけ、疲れの色が見えた。ほんの少しだけ、攻撃の手を休めた。アドレットはその一瞬を待っていた。攻撃の手が途切れる一瞬を。

各種の秘密道具を入れていた腰のベルトの一本を、外して放り投げた。ハンスは戸惑《とまど》い、動きを止めた。その間に、二本目、三本目、四本目を素早く外しては放り投げる。ベルトはアドレットとハンスのちょうど中間に落ちた。

「…………」

ハンスの顔に、初めて警戒の色が浮かんだ。アドレットが秘密道具を捨てたのだから、有利になった。そう考えるような単純な男ではない。

「にゃあ。なにしてるだ？」

「かかってこいよ。秘密道具なんかもういらねえ。実力でお前に勝ってやる」

「………何か企《たくら》んでるだな」

「そうだよ」

アドレットはあっさりと認める。剣の腕には圧倒的な差があるのだ。罠があると思わない方がどうかしている。

「………にゃあ」

ハンスがうめくように言った。彼は攻めあぐねていた。

奇妙なものだ。勝負はさっきまで、完全にハンスが優勢だった。アドレットが秘密道具を捨てた以上、さらにハンスの方が優位に立っている。にもかかわらず、ハンスは動けない。

実を言うと、ハンスが何も考えず攻撃を仕掛けてきたら、アドレットには打つ手がない。しかしハンスは攻撃をしないとアドレットは確信していた。ハンスは頭が切れる。切れるからこそ攻められない。罠があると見せかける罠かもしれないと、思っていても攻められない。

「どうしたハンス。怖いのか？」

「ああ、怖《こえ》えだよ。ごまかしても仕方ねえだ」

「正直だな」

「おらは人殺しはするけど、嘘はつかねえ。嘘をつくのはいけねえことだべ」

アドレットは思う。

この場において、勝利とはハンスを倒すことではない。冤罪《えんざい》を晴らすこと、七人目を見つけ出すことがアドレットの勝利だ。今やろうとしているのは、そのための策だ。

「にゃあ」

ハンスは、アドレットをじっくりと観察している。服の中に、口の中に、隠しているものはないか。近くに落ちているものの中に、使える武器はないか。

しかしハンスは注目していない。アドレットの持つ、唯一《ゆいいつ》の武器。剣に注目していない。

その隙を、アドレットは突いた。

「！」

剣の柄《つか》を握りしめてねじる。その瞬間、強烈なバネの音とともに、剣の刀身《とうしん》が飛んだ。剣の刀身は一直線に、ハンスの腰にある剣の鞘を撃ち抜いた。

「にゃ！」

ハンスが飛びのく。すぐさまアドレットは叫ぶ。

「ハンス！　お前ならわかるだろう！　今の攻撃は、わざと外したことぐらい！」

叫びながら、残った剣の柄を遠くへ放り投げる。これでアドレットには武器が何もない。

「……なぜ外しただ？」

「それもわかるはずだ。お前ほどの男なら」

剣の柄を捨てた後、さらに鎧《よろい》を外し、服を脱ぎ捨てた。完全に丸腰になったことをハンスに見せつける。

「考えろハンス。俺が七人目だとしたら、ここで攻撃を外す理由があるか？　さっきの攻撃が、お前を倒せる唯一の機会だった。それをみすみす逃した理由はなんだ」

「……にゃあ」

アドレットは利用する。この絶体絶命の状況を、ハンスを味方に引き入れるために利用する。アドレットは七人目ではないと、理解するはずだ。ハンスほどの男なら。

理解してくれと、アドレットは祈る。

「騙そうったって、そうはいかねえ」

「俺が七人目だとしたら、騙すより殺す方が確実だ。騙せる可能性は限りなく低いが、殺せる可能性はほぼ確実だった」

「……ぐう」

「俺は本物だ。だからこそ、仲間であるお前を殺すわけにはいかなかった。それが答えだ。さっきの攻撃を外した理由だ。納得しろハンス！」

ハンスは剣を握りしめたまま悩んでいる。論理の筋《すじ》は通っているはずだ。説得できると確信している。

しかしこの策には一つだけ大きな穴があった。もしもハンスが七人目だとしたら、アドレットは敵の眼前で、丸腰になっていることになる。

これは賭《か》けだ。ハンスが七人目でないことに、賭けるしかない。

アドレットは祈る。頼むハンス、納得してくれと。そして本物の六花であってくれと。

やがてハンスが、ふっと体の力を抜いた。

「にゃあ。納得しただよ。おめえは本物の六花だ」

説得できた。アドレットの体に、どっと冷や汗《あせ》が吹き出す。分《ぶ》の悪い賭けだったが、勝ったのだ。だが、ハンスの次の言葉に背中が凍《こお》りついた
「ここに残っていてよかっただよ。他の連中なら、説得されちまってた」

「…………え?」

「惜《お》しかっただなあ。おめえは本当に惜しかった」

ハンスが笑う。アドレットは駆け出し、落ちたベルトに手を伸ばす。

「残念だったな! 七人目はおらだ!」

同時にハンスも動いていた。アドレットがベルトを手に取ったその瞬間、横薙《よこな》ぎの一撃がアドレットの首を襲った。

熱い衝撃が走った。アドレットは自分の首が吹き飛ぶ感触を、確かに味わった。

しかし。

ベルトを握りしめたまま、アドレットは生きていた。自分の首をさわると、確かにつながっていた。薄皮《うすかわ》一枚、切れていなかった。

傍《かたわ》らに立つハンスが、笑いながら言った。

「人間は、言葉では嘘をつけるだよ。行動でも騙せるだ。目も声も表情も信用はできねえ。だがな、死に顔で嘘はつけねえ。死ぬ直前の顔には、どうしたって本心が出るだよ」

ハンスの声は、アドレットの耳には、ほとんど入っていなかった。

「おめえが偽者なら、そんな馬鹿《ばか》なって顔をする。だがおめえは万事休《ばんじきゅう》す、って顔をしただ。どうやらおめえは偽者じゃねえようだべ」

「……………首……………斬《き》られたと……………思った」

かろうじてそれだけ口に出せた。

「だろ？　そう錯覚《さっかく》するように斬ったからよ」

ハンスは笑った。そしてアドレットの鎧や服を拾い集め、放り投げた。

「いつまでぼんやりしてるだ？　さっさと着ろ。男の裸眺《はだかなが》めてる趣味はねえだよ」

気を取り直し、アドレットは立ち上がる。服を着てベルトをつける。剣の刀身と柄を拾いはめなおす。

「この先よろしく、だ」

装備を整えたアドレットに、ハンスが手を差し伸べてきた。その握手を受ける。

「実を言うと少しだけおかしいとは思ってたべ。おめえが七人目なら、フレミーをかばう理由ていた男が仲間になった。ようやく希望が見えてきたと、アドレットは思った。

まずは一歩前進だ。しかもかなり大きな一歩だ。頼れる男が、しかも今まで一番自分を疑っ

「にゃひひ、悪かっただな」

「そう思ったなら言ってくれ」

がねえからな」

フレミーとモーラはアドレットが一夜を過ごした場所にいた。

「いくつか痕跡《こんせき》はあるが……どちらに逃げたかまではわからんな」

地面を見つめていたモーラが、諦《あきら》めたように立ち上がる。

「血痕《けっこん》も足跡も、全て途中で途切れているわ」

「アドレットの奴、逃げることにかけては超一流と見ねばならんな」

フレミーが周囲を見渡す。

「まだこのあたりにいるかしら」

「可能性は低いだろう。わたしたちが探しに来るのに、とどまるとは思えん」

「そう思わせておいて、あえてとどまっているかも」

モーラは腕組みをしてしばし考える。

「どうしたの？」

「わからん。アドレットは何がしたいのだ？」

「進退窮《きわ》って逃げているだけよ」

「違う。まだ何か、企んでいることがあるはずじゃ。奴は入念に策を練ってきた。この程度で終わるとは思えん」

「どちらにしても、捕まえれば済むこと。行きましょう。手当たりしだい探すしかないわ」

フレミーはモーラに背中を向けて歩きだす。しかしモーラがそれを呼びとめる。

「焦《あせ》るな。少し話そう。動くのは考えをまとめてからでよい」

「……………わかったわ」

「まず聞きたいことがある。お前は今回の罠について、何も知らないのか？」

「知らないわ」

「凶魔の間で、話しているのを聞いたことはないか」

「……………尋問《じんもん》？」

モーラはフレミーの肩に手を当てて言う。

「待て。おかしな風《ふう》に受け取るな。昨日のことでわたしたちを警戒するのは仕方がない。だがわたしたちはもうお前を疑ってはおらんのだ」

「どうかしら。ハンスは？　チャモは？」

「言い方を変える。わたしはもうお前を疑わん。大切な仲間と信じる」

「……………そう」

モーラに見つめられて、フレミーは少しうつむく。

「悪いけど、知らないわ。凶魔はそれぞれ、小さなグループに分かれていて、互いに交流はほとんどないの」

「凶魔はもっと、一致団結しているものと思ったがな」

「凶魔の内部も複雑よ。あなたが思っているより遙《はる》かに」

「ふむ」

「そっちに何か情報はないの？　魔神に味方している人間がいるのよ。そのことを全くつかんでいなかったの？」

「………ない。無能とそしられても仕方がないな」

モーラはため息をつく。

「情報は来ていた。凶魔と取引をしている者がいるとも、凶魔に村人全員がさらわれた村があるとも聞いていた。しかしどの情報も、裏付けも取らぬうちに虚報《きょほう》と決めつけていた。わたしがもっとしっかりしていれば、防げた事態なのだがな」

モーラが額に手を当てる。後悔が表情からにじんでいる。

「気にしないでいいわ。あなたの責任じゃない」

「………なんだ、優しい言葉も言えるのではないか」

そう言ってモーラが笑った。そして、ぽんとフレミーの頭に手を乗せた。

「アドレットは一つだけいいことをしたな。お前をわたしたちのところへ連れてきた。それが策の一環《いっかん》であったとしても、これだけはいいことだ」

「……子供扱《あつか》いしないで」

「わたしから見れば、お前も子供だぞ」

フレミーは首を振って、モーラの手を払いのける。

「六花殺しのことはもういい。お前は命令に従っただけだ。戦場で兵士が人を殺しても罪には問われんのと同じこと。姫やゴルドフは納得できんようだが、いずれわかってくれる」

「……」

「すぐにチャモとも打ち解ける。困った娘だが、良いところもあるのだぞ。ハンスは放っておけば良い。六花殺しだからと、凶魔の娘だからと、壁を作る必要などない」

フレミーはモーラから目をそらしながら、しばらく黙っていた。

「無駄話をしている場合じゃないわ。アドレットを追いましょう」

そう言ってフレミーは走り出す。モーラもその後に続く。

走りながらモーラが言った。

「お前がアドレットに、何か思うところがあるのはわかっている。お前が追い詰められた時、唯一助けようとしたのがアドレットだからな」

フレミーは何も答えない。

「だが、手心を加えてはならん。奴は敵、しかも恐ろしく卑劣な敵だ」

「安心して。私、あいつが心底《しんそこ》嫌いなの」

「その意気込みじゃ。見つけ次第《しだい》、殺せ。必ず殺すのだぞフレミー」

必ず殺せ。モーラは何度も念を押した。フレミーがしつこいと怒るまで繰り返した。

ナッシェタニアとゴルドフは、結界の端にいた。魔哭領《まこくりょう》へ続く道の果て、六花の勇者が合流するはずだった場所だ。そこで昨日まで、モーラとハンスが残りの六花を待っていた。

「神殿の方で何か聞こえませんか?」

ゴルドフが言った。

「いいえ、何も」

ナッシェタニアは答える。

「そんなことより、探さないと」

道の横にある大きな茂みに、縦穴《たてあな》が隠されていた。モーラとハンスはこの中に潜《ひそ》んでいたようだ。ナッシェタニアは真剣な表情で、縦穴の中を探っている。

だが熱心なのはナッシェタニアだけだった。ゴルドフは表情を曇らせながら、何もせずただ立っている。

「だめだわ。ハンスさんとモーラさんは、確かにここにいた。それがわかっただけ」

そう言ってナッシェタニアは縦穴から出てきた。

「ハンスさんは、ここで凶魔から何かの情報を受け取っていたはず。でも、ここに凶魔が近づいた痕跡はないわ」

ナッシェタニアは頭をかく。

「モーラさんに会いたいわ。だけど、話を聞いてくれるかしら。モーラさんはアドレットさんが七人目だと信じている。どうすれば説得できる?」

「……………姫」

「自分に腹が立つわ。何もできない。何も思いつかない。今まさに、アドレットさんが殺されるところかもしれないのに!」

「姫、もうおよしください!」

ゴルドフが堪《た》えかねたように言った。ナッシェタニアがゴルドフを睨む。

「わたしを信用するのではなかったの?」

「アドレットは敵です!　姫が何とおっしゃろうとも、それに変わりはありません!」

「もうやめて。わたしを信用しないなら、勝手にアドレットさんを追いかければいい!」

そう言ってから、ナッシェタニアは口に手を当てた。

「……………ごめんなさい、ゴルドフ。言いすぎたわ」

その表情は悲痛だった。

「信じられない。あなたと怒鳴り合うことなんて、一生ないと思っていたわ」

ゴルドフもまた、辛《つら》そうな表情をしていた。ナッシェタニアが背を向けた瞬間、ゴルドフがせきを切ったように喋《しゃべ》りだした。

「姫、なぜアドレットなのです」

「え?」

「幼《おさな》いころから仕《つか》えてきた私ではなく、なぜアドレットを信じるのです」

「どういうこと？」

「……失礼ながら、このような姫を初めて見ました。あなたはずっと奔放《ほんぽう》で、もっと泰然《たいぜん》とした方だった。姫はどうしてしまったのです！　何が姫を変えてしまったのです！」

ナッシェタニアは唖然《あぜん》としている。

「アドレットは姫の何なのですか！　神前武闘会に乱入した無法者、どこの誰とも知れない馬の骨、たった十日かそこら旅をしただけの相手を、なぜそうまで気にかけるのです！」

ナッシェタニアは呆然とした顔で、ゴルドフを見つめた。

「あなたの方こそ、どうしてしまったの」

「姫、私は」

「何を言っているのゴルドフ。すでにもう世界の命運がかかった戦いが始まっていて、仲間の命が危険にさらされているのよ。普段通りのわたしでいられるわけがないでしょう？」

「そ、それは」

「アドレットさんは、仲間よ。力を合わせて魔神に立ち向かう大切な仲間よ。それ以外の何だと思っていたの？」

「………」

「どうかしているわ。悪いけれど、あなたの嫉妬《しっと》に付き合っている場合ではないの」

「……その通りです。姫を守るべき私が、どうかしていました」

ゴルドフが目を伏せる。あまりの羞恥《しゅうち》に、身を震わせていた。

「ゴルドフ。あなたの気持ちには、ずっと前から気がついていた。だけど今はそれどころじゃない。本当にそれどころじゃないの」

「……………はっ」

「今の話は忘れることにしましょう」

「……………仰《おお》せのままに」

ナッシェタニアは、静かにため息をつく。

「あなたでも、取り乱すことがあるのね。そうだったわ、あなたは十六歳。まだ子供だったのよね。頼もしい人だと思っていたから、忘れていたわ」

「……………」

「わたしたちは思っていたほど、解《わか》り合っていたわけではないのね」

ナッシェタニアは周囲の探索《たんさく》に戻り、ゴルドフは立ちすくんでいる。その様《さま》は、主従の間に生まれた大きな亀裂を感じさせた。

「にゃあ、もういっぺん、徹底的に中を探すだよ」

アドレットはハンスとともに神殿に入る。そしてもう一度、抜け道や隠し扉がないかを確かめた。しかし何も見つからない。痕跡すらない。

探しながらアドレットは、少しハンスのことを警戒していた。何も見つからないということは、やはりアドレットが七人目だと言い出すのではないかと思ったのだ。

ハンスは器用に天井に張り付き、おかしなところがないかを調べている。

「ふーむ。ないはずがないんだがにゃあ」

しかしハンスに考えを変える様子はない。アドレットを警戒するそぶりすら見せなかった。その様子が、アドレットには少し怪《あや》しく見えてしまう。実はハンスが七人目で、アドレットを泳がせているのではないかと。

「何してるだか。ピンチなのはおめえだぞ、しゃっきり探せ」

「あ、ああ。すまん」

アドレットは慌《あわ》てて床を確かめる作業に戻る。偽者が一人いる、というのは恐ろしいことだ。信頼すべき相手すら、信頼できなくなってしまう。

とりあえず、今はハンスを疑っている状況ではない。ハンスが本物であることに賭けるしかないのだ。

「ねえ。抜け道はねえだ」

ハンスが天井から手を離し、着地する。これで床も壁も全て見た。わかったことは、抜け道が存在しないことだけ。

「さっぱりわからねえ。おめえが七人目じゃねえってことは、おめえの前に中に入った奴がいるはずだ。なのに通路がねえってどういうことだべか」

「やはり、聖者だろうな。抜け道を作る能力か、あるいは壁を通過する能力。一度開けた扉を閉める能力でもいい」

「モーラの奴は、それはいねえって言ってただなあ。となると、疑うべきはモーラか？」

ハンスが言う。モーラは全ての聖者の能力を知っていると断言した。痕跡を残さず神殿に入ることは聖者でも不可能とモーラは言っていた。

「早計だな。モーラが知らない能力があるのかもしれない。仮に八人目がモーラの知っている奴だったとしても、能力の一部を隠していたとも考えられる」

「だべな。しかし……だとすると手詰まりだにゃあ」

「そうだな……おっと、忘れてた」

アドレットは神殿の隅に置かれていた鉄箱を開けた。五人から逃亡する時や、ハンスとの戦いで、手持ちの秘密道具を使いきってしまった。次の戦いに備えて、道具を補充しておかなければならない。

「いろいろ持ってるだなあ。何か使える道具はないべか？　嘘を見抜く秘密道具とか」

ハンスが鉄箱を覗《のぞ》き込みながら言う。

「持ってきたのは凶魔と戦うための道具だけだ。こんなことになるなら、ほかの道具も持ってきてたんだがな」

その時アドレットは、鉄箱の一番奥にしまわれていた鉄の小瓶《こびん》を見つけた。それを取り出し、しばらく考える。

「どうした？　七人目が判《わか》っただか？」

「……いや、そういうわけじゃないが」

アドレットはしばらく考える。そして小瓶の栓《せん》を開けた。口は霧《きり》吹き状になっていた。中の赤い液体を祭壇に振りかける。

「なにしてる?」

「……いや、たいしたことじゃないんだが」

「なんだべよ」

ハンスが小瓶を覗き込む。アドレットが説明しようとした時、外でかすかな物音がした。瞬時にハンスが、神殿の外に走る。アドレットはとっさに小瓶をベルトの小袋にしまう。

「……誰か、戻ってきたのか?」

壊れた扉からそっと顔だけを出して、アドレットが辺りの様子をうかがう。ハンスは手を振って問題なしのサインを出す。

「そろそろ戻ってくるかもしれねえだな」

「急いだ方がいい」

二人は外側から抜け道の痕跡を探した。何も見つからないのは同じだった。不自然な痕跡、誰かの足跡、かすかな違和感すら見つからなかった。

「しかしどうするにゃ。他の連中が帰ってきたら、ちっとまずいべ」

「ここは諦めて、八人目を探すか」

「手当たり次第にか? 最低でも何か一つ、手掛かりを見つけてえだなあ」

アドレットは塩の柱に寄りかかり、目を閉じて考えた。

手掛かりどころか、存在した証拠すら見つからない八人目の存在。しかしいないはずはないのだ。アドレットが神殿に入った時には、結界は発動していたのだから。その前に誰かが結界を作動させたのだから。

結界が作動した時、フレミー、ナッシェタニア、ゴルドフは同じ場所にいた。ハンスとモーラも一緒だった。単独行動をとっていたのは一人だけ。

「……チャモか？」

アドレットは言う。彼女は神殿に、ふらりと一人で現れた。それまでどこで何をしていたのか、証明できる人間はいない。

しかし不在証明がなかったところで、チャモが神殿に入ることは不可能だったことに変わりはない。どの道、神殿に侵入する方法を見つけなければ何も解決しないのだ。

「ところでよ、あたふたして聞きそびれてたんだが」

「なんだよ」

「結界ってのはどうやって発動させるだか？　おら砦《とりで》に寄らなかったからよく知らねえだよ」

「モーラに聞いてないのか。結界は……」

言いかけた言葉が止まった。頭の中で光が瞬《またた》いた。何か重要な言葉を、ハンスは言った。

「……どうしただか？」

アドレットは砦に入ってから今までのことを、思いだせる限り思い出す。全員が交わした言葉の、一字一句に至《いた》るまで。

考えに考える。そして、閃《ひらめ》きが的外《まとはず》れではないことを確信する。

「チャモだ」

「七人目がか?」

「違う。チャモに聞きたいことができた。あいつは今どこにいる?」

「チャモならその辺で遊んでるはずだべ。呼ぶのは怖えだなあ」

「俺がいるとまずいだろう。お前が行け。一つだけチャモに聞いてきてくれ」

「なんてだ?」

「それは……」

質問を伝えようとしたときアドレットの目に、一匹の大きなミミズが見えた。ミミズはとてつもない速さで地面を走り、森の中へと向かって行った。

少しして、ミミズが消えた方向から声がした。

「チャモならここだよ」

右手の猫じゃらしを揺らしながら、チャモがやってきた。

「猫さん、そいつ偽者じゃなかったのかな。どうして呑気《のんき》に話してるの?」

ハンスが慌ててアドレットの前に立つ。

「にゃあ、攻撃するな、チャモ。こいつは敵じゃねえってわかっただよ」

「変な話。どうして?」

「それは」

「長くなるなら話さなくていいよ。別にどうでもいいことだしね」

話を遮《さえぎ》られて、ハンスが戸惑っている。アドレットにも、チャモが何を考えているのかわからない。七人目を見つけるつもりがあるのだろうか。

「チャモはここにいるのに飽《あ》きたよ。一人じゃつまらないし、遊ぶものもないし。さっさと出て魔神を倒しに行きたいの」

「そうか、俺もそう思う。なら聞きたいことがある。誰が七人目かを見つけるために、とても重要なことなんだ」

アドレットが頼むが、チャモはつまらなそうに口を尖《とが》らせるだけだ。

「もうそういう話は飽きたよ。誰が偽者とか本物とか」

チャモが、猫じゃらしを持ちあげた。そして薄く笑った。彼女が笑った瞬間、アドレットの皮膚に鳥肌《とりはだ》が立った。

「まずはアドレット、君だね。君じゃなかったらフレミーだ。それも違うなら猫さん。違うなら姫様とでっかい人を片づける。まさかモーラおばちゃんが七人目のわけないから、おばちゃんだけは殺す気はないけど」

「待てチャモ、何を言っている」

アドレットは叫びながら、無意識のうちに剣を抜いていた。ハンスも、猫のように体を縮《ちぢ》めて身構えている。

「全員殺せば誰かが敵だよ。魔神なんて、チャモ一人いれば十分なんだ！」

チャモの猫じゃらしが動いた。先端を口に入れ、喉《のど》の奥まで押し込んだ。ぐうえ、とチャモが派手《はで》にえずいた。

次の瞬間、チャモは大きな声を上げて嘔吐《おうと》した。黒と茶色と薄汚い緑色の混じった吐瀉物《としゃぶつ》が、地面にまきちらされた。異常な量だった。小さな体の数十倍はあった。

「にゃ、にゃにゃあ！」

ハンスが恐怖に声を上げる。チャモがまきちらした吐瀉物が、形をとっていく。巨大な蛇《へび》、ヒル、蛙《かえる》にトカゲ。水の中に住む凶魔の形に変わっていく。

「教えてあげる。チャモのお腹《なか》には〈沼《ぬま》〉があるんだ。〈沼〉にはね、チャモが今まで食べた生き物が、みんな仲良く暮らしてるんだよ」

袖で涎《よだれ》をぬぐいながらチャモが言う。凶魔たちが、一斉《いっせい》にアドレットとハンスに襲いかかる。

「逃げるべよ！」

「同感！」

二人は一瞬の迷いもなく背中を見せた。しかし森の中には、さらに大量の凶魔が待ち伏せていた。アドレットたちは反転し、塩の柱の中に駆けこんだ。しかしチャモが吐きだした凶魔たちは、結界など関係なく、アドレットたちに襲いかかる。

凶魔の数は、五十体に迫っている。神殿の周囲は完全に、チャモの凶魔に包囲されている。

「やるしかねえ！」

アドレットが叫んだ。もはや、戦う以外にない。小袋から爆弾を出して、襲いかかってきた蛇の凶魔の口に叩きつける。襲いかかってきたトカゲの首を、ハンスが空中を舞って切り落とす。しかし次の瞬間、凶魔たちは何事もなかったかのように再生した。空中を飛んで攻撃してきた水蜘蛛《みずぐも》を、二人が連携《れんけい》して仕留《しと》める。切り裂いた八本の足が、瞬時に生《は》える。

「なんだべこれ。こんなもん、どうするだよ」

ハンスがうめく。アドレットはようやく、フレミーがあれほどチャモを恐れていたわけを理解する。

チャモが吐きだした凶魔たちは、列をなして円を作る。これで逃げ場はどこにもない。

「ふざけるなチャモ！　なぜハンスまで攻撃する！」

「別にいいでしょ？　猫さんだって、偽者じゃない証拠はないもん」

「馬鹿か！　何を考えてるんだ！」

アドレットは激昂《げっこう》する。だがチャモは何に怒っているのかすら、わかっていない顔だった。

「チャモ良いこと考えたよ。猫さん、アドレットを殺してよ。それで結界が解けたら猫さんは殺さないよ」

アドレットはハンスの顔を見る。ハンスは苦笑いしながら言う。

「心配すんな。するわきゃねえべ」

ハンスが剣をチャモに向ける。

「ハンス。どうしようもないときは、お前だけでも逃げろ」

「ふざけんな。偉そうな口利《き》くでねえ」

二人はチャモに突撃する。チャモは笑いながら、さらなる凶魔を口から吐き出す。

凶魔が作った輪《わ》の中で、アドレットたちは戦う。その間チャモは輪の中央で、腕組みをして立っていた。

二人が狙うのはチャモ一人だ。他の凶魔は相手をしても意味がない。しかし、何度チャモに突撃しても、次から次へと凶魔が立ちふさがる。アドレットの飛び道具も、凶魔が身を挺《てい》して防いでしまう。

「ばらばらに攻撃してもだめだ！　連携するぞ！」

「にゃあ！　わかってるべ！　どうやるのか考えろ！」

二手に分かれて左右から挟《はさ》む。アドレットが引きつけ、ハンスが後ろに回り込む。どちらも無駄だった。凶魔は、それぞれが自律《じりつ》して動いている。チャモの意表を突いても意味がないのだ。

「くすくす。みんな同じことをするんだね。連携してチャモを狙う？　そんなこと誰もできなかったんだよ」

戦いの最中とは思えない、チャモの余裕ぶった声。

「なんかねえのかアドレット！」

ハンスが叫ぶ。アドレットは答えることもできない。背後から、ヒルの凶魔が酸を吹きかけてきたのだ。アドレットは横っ跳《と》びに逃げる。さらにトカゲの凶魔がのしかかってくる。剣でトカゲの腹を刺し、後ろに投げ倒す。

アドレットは疲れていた。ハンスとの戦いの疲労が、回復しきっていない。ハンスも同じだろう。長引けば長引くほど、不利ということだ。

「ハンス！　俺を守れ！」

アドレットが叫ぶ。蛙の凶魔の舌《した》を切り裂きながら、ハンスが答える。

「おらだって手一杯《ていっぱい》だべ！　横着《おうちゃく》すんじゃねえだよ！」

「お前が守ってる間に考えるんだよ！」

そう言うとハンスは大きく跳躍し、アドレットの隣に立った。そして言われた通りアドレットを襲う凶魔を迎撃《げいげき》していく。後先《あとさき》を考えない、がむしゃらな動きだ。長くは持たない。

「どれだけ持つ」

声をひそめてアドレットが聞く。

「六十秒」

ハンスが答える。

「………六十秒たったら、何も考えずチャモに突撃しろ。俺が援護する」

そう言ってアドレットは、チャモを見据えながら考える。

まずは有効な道具を探すことだ。アドレットは数種類の毒針を放ち、様子を見る。眠りの針、麻痺《まひ》の針は通じない。しかし、痛みを与える毒針は有効だ。

次に小袋から火酒《かしゅ》を取り出し、口に含む。歯の火打ち石を鳴らし、炎を凶魔に吹きかける。

チャモの操る凶魔は、どれも水棲《すいせい》の凶魔だ。やはり炎は有効だ。

「うわあ、びっくりした。火を吐くなんて、人間業《わざ》じゃないね」

チャモが呑気に言う。お前にだけは言われたくないとアドレットは思う。

そしてもう一つ。アドレットは思う。小袋から秘密道具を取り出していた。ナッシェタニアとともに、村人を守る時に使ったもの。凶魔たちの注意をひきつける笛《ふえ》だ。

炎、毒針、そして笛。この二つだけでチャモに通じるか。無理だと、アドレットは思う。あと一つ、策がいる。

しかし、ハンスの限界が近づいている。この先は、行き当たりばったりだ。

「ハンス、行け！」

叫ぶと同時に、アドレットは笛を吹いた。全ての凶魔たちがびくりと反応し、アドレットに顔を向ける。その隙にハンスが、かなり距離を縮める。

アドレットを狙う凶魔は、炎を吹いてひるませる。

しかし笛で注意をそらせるのは一瞬だけ。凶魔たちは左右からハンスに襲いかかる。ハンスは回避する動作も見せない。アドレットを信用しているのだ。

ハンスの信頼にアドレットは応《こた》える。抜く手も見せない毒針が、凶魔たちに突き刺さる。凶魔たちは悲鳴をあげて、激痛に身をよじる。

「覚悟するだ！」

ハンスが跳躍した。チャモとの間を遮るものは、何もない。

しかしアドレットは考える。これでもまだ足りないと。フレミーがあれほど恐れた相手。この程度の不意打ちでは届かない。

チャモがにやりと笑った。

「ばーか」

そう言って口を大きく開いた。その時アドレットは叫んだ。

「避けるな！　受け止めろ！」

チャモの口から、一抱《ひとかか》えもある巨大なフナムシが現れた。大砲の弾のようにハンスを襲う。

ハンスは空中で剣を交差させ、フナムシの砲撃を受け止める。体が、軽々と吹き飛ばされる。

しかしアドレットもまた動いている。

一直線に走り、跳躍する。そして両足でハンスの背中を蹴った。前からフナムシに吹き飛ばされ、後ろからアドレットに蹴り飛ばされ、ハンスの体がボールのように宙を舞う。

アドレットが叫ぶ。

「決めろハンス！」

ハンスが吹き飛ぶ先に、チャモがいる。チャモは何が起きたのかわからない顔で、飛んでくるハンスを見ている。

「にゃだらぁ！」

宙を舞いながらハンスが叫んだ。剣の腹を、チャモの頭に叩きつけた。チャモは倒れ、ハンスはそのまま地面に落ちて転がっていく。

着地したアドレットがチャモのところに走る。だが止《とど》めを刺すまでもなく、チャモは意識をなくしている。

次の瞬間、凶魔たちが形を失った。泥《どろ》のような姿に戻り、ほんの数秒でチャモの口に吸い込まれていく。

「アドレット！　押さえろ！」

「んむ！」

ハンスが叫んだ。アドレットは小袋から包帯を取り出し、気絶したチャモの口に押し込む。

チャモが目を覚ました。口の包帯を吐きだそうとする。

「にゃあ、吐かせるでねえ！」

アドレットは片手でチャモの両腕を掴《つか》み、もう片方の手で口の包帯をさらに押し込む。立ち上がり、駆け寄ってきたハンスとともに、暴れるチャモを押さえ込む。

「暴れるでねえだ！」

「縛《しば》りあげるぞ！」

二人は剣を捨てて、チャモと取っ組み合う。もう一本包帯を出して、さるぐつわを嚙《か》ませる。ベルトを外し、両腕を後ろでに拘束する。

それでもチャモはしばらく暴れていたが、やがて大人しくなった。

戦いが終わったあと、アドレットは疲労でしばらく口を聞けなかった。ハンスも同じらしい。

とにかく、疲れた。ただひたすらに疲れた。

「……背中がいてえ」

ぼそりと、ハンスが呟いた。


地面に転がったチャモの横で、二人は長い間へたり込んでいた。

「で、どうする」

「どうするべ」

二人は地面に転がされているチャモを見た。チャモはアドレットを睨んでいる。いたずらをして叱られている子供が、そんなに怒らなくていいのにと不満を訴える、そんな顔だった。

戦っていないときは本当にただの子供だな、とアドレットは思った。

「俺は、チャモは七人目じゃないと思う」

「おらもそう思う」

おそらく七人目は、極《きわ》めて用意周到で慎重な相手だ。それに引き換えチャモの行動は、あまりに短絡《たんらく》的で適当だ。もちろん、断定することはできないが。

「にゃあ。神殿に来てからこっち、味方としか戦ってねえな」

「……そうだな。やっかいな敵だよ。七人目ってのは」

アドレットは立ち上がる。時間を無駄にはできない。そろそろアドレットを探しに出ている仲間たちが、神殿に戻ってくるころだ。

「で、チャモへの質問ってのはなんだべ。この様子じゃ答えられると思えねえが」

「大丈夫。はいかいいえで答えられる」

アドレットはチャモの横に立つ。睨み続けるチャモに言う。

「答えてくれ。首を振るだけでいい。頼む」

チャモは不満そうだが、答えてくれるつもりはあるようだ。

「お前は、霧幻《むげん》結界を作動させる方法を知っているか？」

尋ねられたチャモは、きょとんとしていた。何のためにこの質問をするのかわからない様子だった。チャモは首を縦《たて》に振った。

「お前はこの神殿で俺たちに会う前から、結界の作動方法を知っていたか？」

チャモは、静かに首を横に振った。


チャモとの戦いを終えてから、およそ十五分後。アドレットは霧の森を、足音を立てないようにして走っていた。神殿から東側に向かっている。空を見上げると、時刻は昼を過ぎ、日は傾き始めている。

「………くっ」

枝から枝に飛び移る時、背中が痛んだ。枝に上手く着地できず、大きな音を立ててしまう。

昨日背中に受けた剣の傷が痛みだした。鎮痛薬《ちんつうやく》が切れたのだ。ハンスやチャモとの戦いで傷も悪化しているだろう。

アドレットは傷つき、疲れていた。傷の痛みが、疲労を倍加させる。

「保《も》ってくれよ、俺の体」

唯一の仲間であるハンスの姿は、アドレットの側《そば》にない。神殿で、チャモについている。目的はチャモがまた暴れないように見張るため。そして七人目から守るためだ。あれほどの力を持ったチャモが、縛られて寝転がされている。七人目にとっては絶好の好機だ。

ハンスとともに戦えないのは心細いが、仕方がない。

アドレットは周囲を見渡す。近くに誰もいないことを確認すると、小袋から癇癪玉《かんしゃくだま》を取り出した。昨夜フレミーに渡された、自分の位置を伝えるための癇癪玉だ。

少し悩んだ後、アドレットは癇癪玉を木の幹に叩きつけて破裂《はれつ》させた。そして木の上に身を潜め、フレミーを待った。

七人目の罠。それを突破する手掛かりが閃《ひらめ》いたのだ。


森の北側にいたフレミーとモーラは、神殿に向かって走っている。フレミーが言った。

「間違いないわ。さっきの音はチャモが戦っている音だった」

モーラが答える。

「だが、今は聞こえぬぞ。アドレットを逃がしたのか、決着がついたのか」

「チャモが負けることはあり得ないわ。それにハンスもいるのよ」

「しかし合図が聞こえぬぞ。どういうことじゃ」

アドレットを追う六人は、取り決めをしていた。アドレットを発見するか、何か重要なものを見つけたら、大きな音を出して合図を送る約束だった。合図にはフレミーが作った爆弾を使う。

突然フレミーが立ち止った。辺りを見渡し、考える。

「どうした」

「モーラ。神殿に向かって。私は別方向へ向かうわ」

「何を言っておる」

「おそらくアドレットは、チャモと戦って逃げたのよ。こっちに逃げてきたらモーラが迎え撃って。別方向に逃げたなら、私が見つける」

「……………そうじゃな。気をつけろ」

モーラの言葉には、何か含みがあった。その目は鋭く油断なく、フレミーを見ていた。

走り去ったモーラが見えなくなった時、フレミーは一直線に走りだした。


アドレットは、木の上でフレミーが来るのを待っていた。

彼女がアドレットの味方をしてくれる保証はない。それどころかモーラを連れてきて、アドレットを殺しにかかるかもしれない。可能性は五分五分、あるいはそれ以下だ。

ナッシェタニアと連絡が取れれば、彼女に頼りたいところだ。しかし彼女にはゴルドフがついている。おそらく何があっても彼はナッシェタニアから離れないだろう。

今はフレミーを当てにするしかない。

待ちながらアドレットは、ハンスと話したことを思い出した。チャモと戦う前、神殿を探っていた時のことだ。フレミーを呼ぶことを提案すると、ハンスは唇《くちびる》を尖《とが》らせた。

「にゃあ、なんかおかしいと思ってただよ。やっぱりあの女、おめえをわざと逃がしただか」

「気づいてたのか？」

「もしかしたら、とは思ってただよ。フレミーは隠してたけど」

アドレットは少し不安になる。フレミーとアドレットの密約は、ほかの連中も気づいているかもしれない。

「フレミーを呼ぼう。彼女も何か気づいたかもしれない」

「やめておけ。というか、金輪際《こんりんざい》あいつと接触しちゃならねえだ。あの女は危険だにゃ」

「……なぜそう思う？」

「にゃ。おめえの疑いが晴れた以上、七人目の可能性が一番高いのはフレミーだよ」

アドレットは首を横に振る。

「フレミーは本物だ。俺はそれを確信している」

「……意見が割れただか」

二人はしばらく睨み合う。どちらも、自説を曲げる気はないようだ。

「ひとまず、奴の真偽《しんぎ》はおいて考えるべ。おらはフレミーが本物だとしても、接触するべきじゃねえと思う」

「どうしてだ？　あいつは俺を逃がしてくれたんだぞ」

「ひとまず逃がしただけだべ。あいつはやっぱり、おめえを殺すつもりだと思うだ」

「なぜそう思う？」

ハンスの目が鋭く光った。いままでのふざけた雰囲気《ふんいき》が消えた。そこに現れたのは、冷酷非情《れいこくひじょう》の殺し屋だった。

「フレミーは闇《やみ》の中で生きている。誰も愛さず、誰も信じねえ。周りにいるのは敵か、いずれ敵になる奴だけだよ。そういう世界に生きる女だ。にゃ？」

「……………」

「おらも闇の中で生きる人間だべ。でもな、フレミーがいる闇はおらがいるところより、さらに深いだよ」

「…………そう思うのか」

「そうだにゃあ。信頼とか、友情とか、仲間を守るとか、そんなことを考えてるおめえとは、全く別種類の生き物だよ。解り合えるなんて考えるんじゃねえ」

ハンスの忠告は、嘘ではないだろう。彼は彼なりに、アドレットを思いやって言っている。

だがアドレットは、フレミーと信頼関係を結べないとは思わない。

「アドレット。フレミーはおめえを嫌ってるだよ。あんだけ頑張ってフレミーをかばってたおめえをだ」

「………」

「勘違いするな。いやよきらいも好きのうち、とかそんなんじゃねえ。本心からとことん嫌ってるだよ。いや、憎《にく》んでいるだ。少なくとも、今日の朝、話した限りではそう見えた」

それは演技だろうとアドレットは思う。

「フレミーのことは忘れるだ。それよりも密室のことだよ」

それきりで、フレミーについての話題は終わった。

チャモを倒した後、フレミーと合流すると言って神殿を出た。ハンスは気をつけろと何度も念を押した。

アドレットはフレミーのことを考える。

昨日の夜、二人は互いの過去を語り合った。あの時少しだけ、彼女と心が通じ合ったような気がした。あの気持ちが錯覚だとは思えない。

彼女が自分を信用しているとは思わない。だが憎まれる理由など一つもない。フレミーが何を考えているのかわからない。心の中を読み取れない。

ハンスの忠告を無視したことは、正しかったのか。じきに答えは出る。

霧の向こうにフレミーを見つける。ぼんやりと見える彼女の姿は、アドレットを探しているように見える。

しばらくアドレットは様子を見た。周囲に人の気配はない。アドレットは意を決し、フレミーの前に降りる。

「……よく生き残ってるわね」

開口一番《かいこういちばん》フレミーは言った。銃を握り、引き金に指をかけてはいる。しかし銃口をアドレットに向けることはない。

「しんどかった。何度か死んだと思ったよ。神殿に戻ったらハンスがいて……」

「結界の解除に役立つ話だけをして」

フレミーは冷たく言う。アドレットは少し怯《ひる》むが、気にすることはないと思い直す。もともと彼女はこうだった。

「一つ閃いたことがある。意見と情報を聞きたい」

「内容によるわ」

「七人目が張った罠、その一端《いったん》が見えた」

「……聞くわ」

「まず俺たちは、勘違いをしていた。いや、七人目に勘違いをさせられていた。俺が神殿の扉を開ける直前に、何者かが結界を発動させたんじゃない。俺が扉を開けて中に入った時、結界はまだ作動していなかったんだ」

「それは、少し無茶な話だと思うわ」

「まだ聞け。俺たちは結界の作動方法を知っている。剣を台座に突き立て、石板に結界を発動させるように命令すれば、結界は発動する。それを俺たちに教えたのは誰だ？　砦にいた兵士、ローレン上等兵だ」

フレミーの顔を見据えてアドレットは続ける。

「だがもしも、ローレン上等兵が七人目とグルだったとしたらどうだ。

俺もお前も、ローレン上等兵に聞くまで、結界の存在すら知らなかった。ナッシェタニアとゴルドフも、昨日結界のことを初めて聞いたと言っていた。モーラは結界の存在は知っていたが、作動方法までは知らなかったと聞いていた。ハンスはモーラから聞いた。そしてさっきチャモに確認をとった。チャモが結界の作動方法を知ったのは、昨日俺から聞いた時だと。

つまりローレン上等兵が嘘をついていても、俺たちにはそれが判らないんだ」

「………続けて」

「七人目が立てた策略は、こうだ。

まずローレン上等兵を使って、俺たちに嘘の結界の作動方法を教えた。凶魔たちを使って全員を結界の中におびき寄せた。

俺が神殿の扉を開けたのを見計らい、何らかの方法で森全体に霧を発生させた。それで俺たちは、何者かが結界を作動させて逃げたと勘違いした。本当はこの時、まだ結界は作動していない。霧が発生しただけだ。剣はもともと台座に突き立ててあったんだ」

「………」

「そして七人目は何食わぬ顔で祭壇に近づき、結界を作動させた。あの時、全員が結界を解除しようと祭壇をいじりまわしていた。それにまぎれて七人目は結界を作動させたんだ。

その後、俺が扉を開けるまで神殿が密室だったことを明かし、俺に罪をなすりつければ罠は完成する」

「罪をなすりつけてきたのは、ハンスね。ということは彼が七人目？」

「違うと思う。たぶん七人目は本当は自分で話すつもりだった。ハンスが聖者の扉に詳しかったから、七人目はハンスが語るに任せたんだ」

「……ハンスは七人目ではないと思っているの？　なぜ？」

アドレットは少し説明を補足《ほそく》する。ハンスと戦ったこと、互いに七人目ではないと認め合ったこと、その後チャモと戦ったことも、ついでに付け加えた。

「大事なのは、何者かが俺が結界に入るところを見計らって、霧を発生させたことだ。霧を発生させた犯人を捕まえれば、俺の無実は証明される」

「そうね」

フレミーはしばし考えた。

「すごい発想だと思うわ。感心している」

アドレットは拳《こぶし》を握り、掌《てのひら》に叩きつける。しかしフレミーが言う。

「だけど間違いよ。決定的に」

「……え？」

「なぜなら、ありえないから。結界が作動していないのに、霧が発生するなんてことは」

「〈霧〉の聖者なら、そんなこともできるんじゃないのか」

「あなたは聖者について勘違いしている。神の力を使えばなんだってできると思っている。それは違うわ。聖者の力は限定的なものでしかない」

「しかし、いるだろう。霧を生み出す聖者は」

「いるわ。この結界を作った者の一人〈霧〉の聖者が。だけど彼女が霧を発生させたとは考えられない」

「どうして」

「〈霧〉の聖者が能力を使ったら、まず霧は彼女の周囲に発生するわ。広くて半径五十メートルでしょうね。それから霧は時間をかけて森全体に広がっていくのよ。この広さなら、最低でも十五分はかかると思う。だけど霧は、森全体に瞬時に発生したわ」

「待て。結界が作動した時は、一瞬で森が霧に覆《おお》われるんだろう？」

「そうね。でもそれは、長い時間をかけて結界を張ったからよ。十年かけて森全体に〈霧〉の神の力を蓄積させた。だから一瞬で発生させることができる」

「だから、霧幻結界とは別に結界を作ったのだろう？　霧を発生させる結界を」

フレミーは首を横に振った。アドレットの足元を指し、

「掘ってみて」

と言った。アドレットが剣で地面を少し掘ると、神言《しんごん》が書かれた杭《くい》が見つかった。

「それが霧幻結界の力が込められた杭よ。そういうのが森全体に無数に埋まっている。ああ、言い忘れていたわね。結界は一つの場所に一種類しか張れないの。二つ以上結界を張ろうとす

ると、どちらかが無効化されてしまう」

「……だ、だけど」

「霧を発生させるには、結界の力がなければ不可能よ。そしてこの森に霧を発生させる結界は二つも作れない。つまり不可能ということよ」

「……」

言葉が出なかった。名案だと思った閃きが、あっさりと覆《くつがえ》された。

この方法以外にあり得ないと思っていた。もはやアドレットには反論の余地がない。

「……何か質問はある？」

打ちひしがれるアドレットに、フレミーは冷酷に言った。


「この馬鹿ども！」

神殿でモーラが叫んでいる。鉄甲《てっこう》で地面を殴りつけると、周囲の地面がかすかに揺れた。

「にゃ、にゃあ。そこまで怒るこたねえべ」

ハンスはモーラに経過を説明した。話を聞きながらモーラは顔を紅潮《こうちょう》させ、説明が終わると同時に怒りを露《あらわ》にした。

「チャモもたいがいじゃ。だがハンス！　馬鹿だ馬鹿だとは思っていたが、そこまで馬鹿とは思っていなかったぞ！」

「ひでえ言い方だべなあ」

「なぜアドレットを逃がした。絶好の、いや唯一の機会だったかもしれんのだぞ！」

ハンスはうんざりした顔で言う。

「まあ待てモーラ。奴の無実は証明できると思うだよ」

「……何を言っておる？」

「あいつは大した奴だよ。七人目の策略を見抜いただ」

「聞こう。わたしの堪忍袋《かんにんぶくろ》の緒《お》が、最後まで持つことを祈れ」

ハンスはアドレットの推理をモーラに伝えた。モーラは静かに聞いていたが、話し終えると盛大にため息をついた。

「お前は聖者の力についてわかっていない。霧を発生させるなど不可能だ」

「神殿の密室を破ることよりは、可能性はあるぜ」

「どちらも変わらん。神殿の密室は破れないし、霧も生み出せない」

モーラはなぜ霧を発生させるのが不可能かを説明した。瞬時に霧を発生させるには、結界が必要であること。そして結界は二つは存在しないこと。

「にゃ、モーラは頭が固いだよ。おめえの話を聞いても、おら不可能とは思わねえだ」

「チャモ。思いつくか？　瞬時に霧を発生させる方法を」

チャモはハンスに腕を掴まれたまま立たされている。チャモは首を横に振る。

「違うだよ。ちょっと考えただけでわかるはずはねえ。七人目はとんでもねえ方法を思いついたから、計画を実行しただよ」

「ああそうか。好きに考えていろ。わたしはアドレットを探しに行く」

モーラが背中を向けようとする。その足元に、ハンスが投げたナイフが突き刺さった。

「待て。おらは確信してるだよ。アドレットは七人目じゃねえだ」

「……まだ説教が足りてないのか？」

モーラがハンスを睨みつける。

「アドレットが七人目だとしたら、なぜおらを殺さなかっただ？　なぜフレミーをかばっただ？　なぜチャモに止めを刺さなかっただ？　説明がつかないだよ」

モーラが呆《あき》れ果てたと言わんばかりにため息をつく。

「わからないか。簡単に説明できるぞ。なぜアドレットがお前を殺さなかったか」

「……」

「そもそも奴は、なぜわたしたちの前に現れた？　わたしたちを閉じ込めるだけなら、神殿に姿を現す必要はない。こっそり結界を作動させ、ひたすら逃げ回っていればよい。だがあえて奴は、偽《にせ》の紋章《もんしょう》を持ってわたしたちの前に現れた。何のためにだ？」

「……にゃ、それは」

「我々を混乱させるためだろう。もしかしたらアドレットは本物かもしれない。他に七人目がいるのかもしれない。そう思わせて仲間割れを誘うためではないのか。奴の罠は、こちらの心を攻める罠なのだ。それがどうしてわからない！」

ハンスが言葉を詰まらせる。チャモが口をふさがれたまま、にやにやと笑っている。

「現に奴の策略は成功している。お前はまんまとアドレットに騙された。姫はアドレットが偽者でないと考えてる様子だ。すでに六人中二人が奴の術中にはまっているのだ」

「でもなあ、アドレットは」

「フレミーをかばったのはなぜか。フレミーを味方に引き入れるためだ。お前を殺さなかったのはなぜか。お前を騙すためだ。殺さなかったから七人目ではない？　奴が七人目であっても、間違いなくそうするぞ。何か言い返す言葉があるか！」

「だがおらは見ただ！」

「死に顔で人は騙せないと？　全てはお前の主観に過ぎんだろう！」

口ごもるハンス。モーラは決意を込めた声で静かに言う。

「もはや、手段は選んでおれん」


アドレットはフレミーにいくつも質問を重ねた。そして、霧を発生させる方法はないか、それが可能な聖者はいないかを考えた。アドレットは聖者の能力に詳しくない。探るには、彼女から聞きだすしかない。

しかしフレミーの反応は薄く、不可能と繰り返すばかりだった。

「……………もう諦めたら？」

質問を遮《さえぎ》り、アドレットに冷たく言い放った。

「あなたはもう詰んでいるわ。おそらく推理は的外れで、逃げる方法も尽きている。たとえあなたが本物でも、生き延びる方法はないわ」

アドレットは迷う。やはりフレミーの協力を得ることは、不可能なのだろうか。彼女とこれ以上話しても無駄なのかと。他に協力してくれる人を探した方がいいのかもしれない。

「だめだ。諦めるわけにはいかねえ。俺が殺されたら、次に七人目はお前を狙う。お前は濡《ぬ》れ衣《ぎぬ》を着せられて、俺と同じように殺される」

フレミーは目を伏せ、何かを考えている。彼女も自分の立場の危うさは理解しているはずだ。長々と話した。モーラがこちらに向かっているかもしれない。これ以上一緒にいるのは危険かもしれない。立ち去るかと考えた時、フレミーが言った。

「今度はナッシェタニアを探すの？」

フレミーが呆れた表情を浮かべていた。図星だった。フレミーに切り捨てられた今、頼れるのは彼女だけだ。

「ハンスに頼り、私に頼り、次はナッシェタニア。たいした地上最強ね」

「………慣れている。馬鹿にされるのも笑われるのもな」

「誇りはないの？」

「………あるさ」

そう言ってアドレットは笑った。力強く笑った。

「地上最強は、かっこいいものじゃねえ。一番かっこ悪い奴が一番強いんだ。あがける限り、あがき続けてやる」

「……」

「心配するな、任せておけ。俺が生きてる限り、お前に疑いがかかることはないはずだ。俺を信じろフレミー」

そう言ってアドレットは背中を向け、森の奥へと進んで行く。

「待って」

アドレットは驚いて、振り向いた。

「信じろと言っても、できるわけないわ。私にはあなたが理解できない」

「……」

「どうして、笑えるの？　どうして挫《くじ》けないの？　どうしてあなたは私を守るの？　あなたが何を考えているのか、一つも理解できない」

「フレミー」

「今が危険であることは解っている。だけどもう少しここにいて。私はあなたのことを知りたいの」

フレミーは静かに言った。

「もしかしたら、信じられるかもしれないから」

一方その頃。ナッシェタニアとゴルドフはまだ西の端にいた。携帯食糧《しょくりょう》の包み紙が、数枚落ちている。ナッシェタニアはそれを拾い上げ、裏表を確認して投げ捨てた。

ゴルドフも辺りを探っている。木を一本一本見て、妙な痕跡がないかを調べている。ゴルドフが取り乱し、醜態《しゅうたい》をさらしたことで、主従の間には亀裂が入っているようだった。二人の空気は重かった。

「ここはもう諦めましょう。それよりアドレットさんを探して保護しましょう」

そう言って歩き出すナッシェタニア。彼らのいる場所は神殿から遠い。ハンスとアドレットが戦う音も、二人とチャモが戦う音も、彼らのいる場所までは届いていなかった。

「姫、私はまだ聞いていません。なぜ姫はハンスを疑うのですか」

ナッシェタニアは振り向き、立ち止まる。

「……どうかしていたのはわたしも同じね。肝心《かんじん》なことをあなたに話していなかった」

「走りながら話しましょう」

ゴルドフとナッシェタニアは並んで走りだす。

「一つだけどうしても気になるの。でも、単なるわたしの聞き間違いかもしれないわ。もしただの勘違いだったら、わたしを馬鹿にしていいわ」

「いたしません。それより、理由をお話しください」

ゴルドフは頷き、先を促《うなが》す。

「覚えているかしら。最初に自己紹介をした時、ハンスさんが『にゃにゃ！　兎《うさぎ》の姉ちゃんのくせに姫なのかよ！』と言ったわ」

「もちろん覚えています」

「だけど、おかしいのよ。神殿の中にハンスさんとモーラさんが入ってきた時、ハンスさんは一度だけ、わたしを姫さんと呼んだの」

「……それは、確かなことですか？」

「思い出せない？　無理もないわ。すごくどうでもいい話をしていた時だから」

　ゴルドフは首をかしげる。やはり思い出すことはできないようだ。

「最初はただの違和感だけだった。おかしいと感じたのは、かなり後になってからよ。思い出せば思い出すほどそれが気にかかるの」

「……だとすると」

「彼ははじめからわたしが王女であることを知っていたわ。だけどその後知らないふりをした。それはどうして？」

　走りながらゴルドフが考える。

「ハンスとモーラさんが神殿に入ってきた時、私はずっと姫の側についておりました。その様《さま》を見て姫さんと呼んだ。そう言う可能性はあります」

「……そう。そしてもう一つ。ハンスさんが拷問されかけていたフレミーさんをかばった時」

「何がおかしかったのですか？」

「何かよ。何かがおかしかったの」

　ナッシェタニアは自分の顔を掌で叩く。

「どうしてわからないの！　もう少しで、もう少しで何か浮かびそうなのに！　このまま何の役にも立てずにいるつもりなの！」

「………ともかく、急ぎましょう。もう迷いません。姫の判断を信じます」

「……ありがとう。ゴルドフ、見てくれる？　アドレットさんはまだ生きているかしら」

ナッシェタニアが鎧の胸元を開き、鎖骨《さこつ》の辺りにある紋章を見せる。

「安心してください。まだ誰も殺されていません。アドレットも、他の仲間も、全員生きています」

「そう。頑張ってるのね、アドレットさん。わたしも負けないわ」

二人は神殿に向かって走り続ける。

もしかしたら信じられるかもしれない。その言葉を聞いた時、アドレットの心に希望が生まれた。ハンスはすでに仲間。ナッシェタニアもおそらく自分を信じてくれる。さらにフレミーも味方についてくれれば、もう逃げ回る必要はなくなる。

それはある意味で下心だ。

しかしそんな下心を打ち砕《くだ》くように、フレミーがアドレットに銃口を向けた。

「ずっと疑問だったわ。あなたはどうして私をかばうの？　どうして一度たりとも私を疑わないの？」

「なんで銃口を向ける」

「ごまかすようなら、撃つわ」

フレミーの行動に戸惑う。唐突《とうとつ》な問い。性急に答えを求める態度。フレミーはアドレットが理解できないと言うが、アドレットにだって彼女のことが理解できない。

アドレットは思った。本心を語ろうと。フレミーを味方につけようとか、信じてもらおうとか、そんな打算は捨てようとアドレットは思った。

「……気持ちの問題だ。お前は敵じゃないと思った。お前を守りたいと思った。語れる理由なんかない」

「聞こえなかったの？　ごまかさないで」

「フレミー」

アドレットは銃口を向けられながら、自分の胸の内を探った。アドレットは確かに、フレミーをかばい続けた。それは傍目《はため》には不自然なほど、フレミーから見てすら不自然なほど。

なぜだろうと、自分自身にアドレットは問う。フレミーが見つめるなかで、銃口を心臓に向けられる中で、答えを探す。

「答えて」

アドレットは静かに語りだした。

「ずっと昔、俺は戦うための道具になろうとした。人間の心を捨てようとした。俺から全てを奪った凶魔を殺すためだけの生き物になろうとした」

なんの話、とフレミーは尋ねてこなかった。黙ってそれを聞いていた。

「お前が言うとおり、師匠《ししょう》が言うとおり、俺は凡人だからな。それ以外に地上最強になれる方法はないと思ったんだ。だけどな、だめだった」

「……何が?」

「心は、捨てようと思って捨てられるものじゃない。何度捨てたと思っても、心はずっと心のままだ」

「違うわアドレット」

フレミーが冷たい声で言った。

「私は心を捨てられたわ。人間の心じゃなくて、凶魔の心だけど。母さんに、魔神に復讐《ふくしゅう》するために。捨てたから生きてこられた」

「違うぜフレミー。心は捨てられない。心を捨てようと思うのも、やっぱり心なんだ」

アドレットを見つめるフレミー。その内心が読めない。

「強くなるために全てを捨てる。そんなことはできっこない。誰かを好きになることだけは、どうしてもやめられない」

「……」

「お前が好きだ。ずっと、と言っても昨日からだけど、ずっとお前が好きだった」

フレミーが目を見開いて、アドレットを見つめていた。

「そんなことを思ってたの。私と一緒にいた時、そんなことを?」

「自分の気持ちに気づいたのは、今だけどな。だが初めて見たときから、この気持ちは変わらない」

「だから私をかばったの？」

「悩んだよ。ナッシェタニアと合流して、お前が六花殺しだって知った。だけど、ナッシェタニアとゴルドフがお前を疑うのを見て、こんなのは駄目だと思った。

　仲間すらお前を信じないなら、俺が信じるしかないと思った。世界の誰もお前を守らないなら、俺が守るしかないと思った」

「その後は」

「俺たちの中に偽者がいるとわかった時もそうだ。七人目が誰か探すより、何よりお前を守らなきゃいけないと思った。お前を疑うことなんて、考えもしなかった。不自然に思われるのも当然だよな。だけど仕方ねえだろ。好きになっちまったんだから」

「私の何が好きなの？」

「知るかよ。ただお前が辛《つら》い思いをしてると、俺も辛いんだ。いくら俺が地上最強の男でも、その辛さには耐えられねえ」

「……………だから、私を守ると」

　冷たいフレミーの表情に、かすかな迷いが浮かんでいるのが判る。時に銃を持った人形にすら見える彼女だが、心のない化物《ばけもの》ではないと確信する。

　彼女にも心はある。心があるなら心は伝わる。そのはずだと信じる。

「あいにくだけど、あなたが私を守るなんて不可能よ。私はどうせ、魔神を倒したら死ぬ」

「なぜ！」

「魔神を倒したあと、私はどこで生きればいい？　凶魔のところには帰れない。人間の世界に住む場所はない。死ぬしかないのよ。魔神と相打ちになるのが、私の理想よ」

「……それはだめだ」

アドレットは首を横に振る。

「今は復讐が全てかもしれない。だけどそれは今だけだ。復讐が終わったら、次の人生を始めなきゃいけない」

「そんなものは私にはない。人間は決して私を受け入れない。凶魔の娘で六花殺しの私を受け入れることはない」

「心配するな。俺が何とかしてやるよ」

「……何を言ってるの？」

「世界は広いんだ。お前一人を受け入れる場所ぐらい作れるさ」

「馬鹿なことを言わないで。できるわけがない」

「馬鹿なこと言ってるのはそっちだぜ。俺を誰だと思ってる。地上最強の男アドレットだ。お前の居場所一つ作れねえなんて、あるわけがねえだろう」

馬鹿げたことを言っているのは自分にもわかる。魔神を倒すどころか、仲間に殺されかけているのがアドレットの現状だ。だが、まずはできると信じることだ。できると思わなければ何も始まらない。

「ふざけていると思うか？　俺を馬鹿だと思うか？　俺は思わない。やってみせる、絶対に……これで、伝えたぜ。俺の気持ちは全部」

フレミーは目を伏せた。そして長い間考えていた。

アドレットの脳裏《のうり》に、ハンスの言葉がよぎる。

『フレミーは闇の中で生きている。誰も愛さず、誰も信じねえ。周りにいるのは敵か、いずれ敵になる奴だけだよ。そういう世界に生きる女だ』

違う、とアドレットは思う。彼女はそうじゃない。

『信頼とか、友情とか、仲間を守るとか、そんなことを考えてるおめえとは、全く別種類の生き物だよ。解り合えるなんて考えるんじゃねえ』

ハンス。お前を信頼するが、ここだけは間違えている。彼女とは解り合える。

時が過ぎた。アドレットはじっと待った。

「……わかったわ。あなたのこと」

フレミーが言った。そしてアドレットは見た。伏せたフレミーの目に、たしかな殺意が浮かぶのを。

「！」

銃声が響いた。アドレットは身を縮《ちぢ》め、かろうじて弾丸をかわした。

「……確信したわ。あなたは敵だと」

そう言ったフレミーの目には、果てしなく深い闇が広がっていた。

モーラが走りだした。向かう先はハンスだ。チャモを捕らえたままのハンスに、彼女の突進をかわす方法はなかった。

モーラがチャモの体を奪い取る。そして手と口の拘束を外す。

「ぷはー」

自由になったチャモに、モーラは猫じゃらしを渡す。

「なにするだ！　おめえそいつが、どんだけヤバいかわからねえだか！」

ハンスが叫ぶ。

「よいかチャモ。あいつを見張っていろ。この場から動かすな」

「うんいいよ。まかせておいて」

にやりと笑うチャモ。その肩をモーラががっしりと摑んだ。

「見張るのだぞ。攻撃しろとは言っていない。攻撃するのは勝手に動いたときだけだ。ちゃんとできれば、これ以上は怒らん」

「……あ、やっぱり怒ってるんだね」

チャモの額に冷や汗が流れる。

「今度勝手な真似《まね》をしたら、尻《しり》たたきでは済まさんぞ」

「はあい」

お尻を押さえながらチャモは答えた。

「チャモ、モーラはおめえがビビるほど強《つえ》えのか？」

ハンスが驚いている。答えたのはチャモだ。

「チャモの方がずっと強いけど……怖いんだよ、モーラおばちゃん」

モーラが大きく息を吐いた。何もしていないのにモーラの体から、ずっ、と重い音が響いた。

「山の神よ。我に力を」

そう呟くと、モーラは大きく口を開いて叫んだ。爆発音のような声だった。

「『姫！　ゴルドフ！　フレミー！』」

ただの大声ではなかった。その声は何重にも反響し、森全体に響き渡る。

「にゃあ！　なんだべ！」

「やまびこの力だよ。モーラおばちゃんは〈山〉の聖者。いろいろできるんだよ」

ハンスとチャモが耳を押さえている。互いの声は聞こえていない。

「『ハンスがやられた！　一命はとりとめたが、危険な状況じゃ！　やったのはアドレットだ！　やはり奴が七人目だったのだ！』」

驚愕《きょうがく》の表情をハンスが浮かべる。

「『一刻も早く殺せ！　ためらうでないぞ！』」

モーラがやまびこの力を使うのをやめる。

「何を考えてやがる！」

激昂《げっこう》するハンスが、モーラの襟首《えりくび》を摑んだ。

「姫もこれで腹をくくるだろう。フレミーは何を考えているかわからぬが、まさかアドレットを逃がすことはあるまい。これでアドレットは追い詰めた」

「……てめえ、まさか」

何かを言いかけたハンスの腕に、ヘビ型の凶魔が巻きついた。チャモが口から数匹の凶魔を吐き出して、ハンスの動きを封じた。

「モーラおばちゃん。本当に半殺しにする必要はある？」

「馬鹿なことを言うな。ただ押さえておくだけでいい」

モーラは襟を直し、走り出す。

「待て！　待ちやがれ！」

モーラを追おうとするハンス。しかしチャモの拘束は揺るがない。

「待て！　まさかてめえが七人目だか！」

ハンスの叫びにモーラは振り向かない。ただまっすぐに、フレミーのところへ走っていく。

モーラのやまびこは、森全体に届いていた。フレミーは銃弾を装塡《そうてん》しながら冷たく言った。

「……そういうことのようね」

身を低くして逃げ回るアドレットは、怒りに身を震わせていた。

「なんてこと、しやがる、モーラ！」

自分の手を見る。六花の花弁は欠けていない。しかしハンスは無事なのだろうか。本当に死にかけるような目にあわされたのかもしれないとアドレットは危惧《きぐ》する。

さらに、これで最後の味方も失ったかもしれない。アドレットは心の中で祈る。頼む、ナッシェタニア。嘘だと気づいてくれと。

フレミーが、手の中にリンゴほどの大きさの、火薬の塊《かたまり》を生み出した。それを天高く放り投げ、爆発させる。モーラやゴルドフ、ナッシェタニアに位置を知らせたのだろう。

ここにいては囲まれる。だが神殿に向かえば、モーラと鉢合《はちあ》わせすることになる。どうすればいい。逃げ場は一体どこにある。


「……姫、今の言葉、聞きましたか」

ナッシェタニアは、呆然《ぼうぜん》とその場に立っていた。ゴルドフの声は、耳にも届いていないようだった。続いて爆発音が聞こえてくる。

「今のはフレミーでしょう。おそらくアドレットの位置を教えています。向かいましょう」

「……」

ナッシェタニアはただ、霧に覆われた神殿の方向を見つめている。

「ごめんなさい、ハンスさん。あなたは何も悪くなかったのですね」

「……姫」

「こんなところでわたしは何をしていたの?」

「さあ、行きましょう」

ゴルドフがナッシェタニアの手を摑んで引く。しかし、彼女はよろけるだけで走りだそうとしない。虚空《こくう》の一点を見据えたまま、何かを考えている。

「少し待って」

「どうしたのです。何を考えているのです」

焦《あせ》りながらもなお忠実に、ゴルドフはナッシェタニアを待った。それから一分も経《た》っただろうか。彼女は急に声をあげた。

「あはっ」

笑いだしたナッシェタニアに、ゴルドフが驚愕する。

「あはっ、あははっ、あははは」

「姫、落ち着いてください！　どうしたのです！」

ナッシェタニアはそれからもしばらく笑い続けた。そして笑い声が収まると、急に冷静になって言った。

「今日のわたしは、本当にどうかしていた。いろんなことが起こりすぎて、何が何だかわからなくなってたのね。でも落ち着いた。やっと冷静になれたわゴルドフ」

「落ち着いたのなら……良いのですが」

「わかったわ。これなのね」

ナッシェタニアがゴルドフを見る。

「初めて知ったわ。本気で怒るってこういう気持ちなのね」

「……姫」

「今まで腹が立ったこと、ないわけではないわ。でも、本気で怒るということではなかったのね。初めてわかった。本気で怒るってどういうことか」

ナッシェタニアが笑みを浮かべ、そして走りだした。今までの彼女とは違う何者かがそこにいた。

「やっとわかったわ。こうだったの。こんな気持ちだったのね。この気持ち、どうすれば表せるのかしら」

「……姫」

「アドレットさん……信じてたのに……信じてたのに」

細剣を握るナッシェタニアの手が震えている。

「素敵《すてき》ね、ゴルドフ！　旅に出てから、初めて知ることばかりだわ！　これからもまだまだいろんな初めてに出会っていくのね！」

ナッシェタニアはゴルドフの方を振り向きもせず、まっすぐに走りだした。

「知りたいわ！　怒りにまかせて敵を切り刻《きざ》んだら、どんな気持ちになるのかしら！」

前を走るナッシェタニアを見つめながら、ゴルドフは言葉を失っていた。

フレミーがアドレットを狙っている。チャモはハンスを拘束し、モーラ、ナッシェタニア、ゴルドフはアドレットのもとへ走っている。この時、七人目はこう思っていた。

順調とは言えないな。

当初の七人目の思惑《おもわく》では、アドレットはもう少し簡単に始末できるはずだった。フレミーを人質を取った時は驚いた。それから丸一日逃げ続けるとは、考えてもみなかった。

全くアドレットには驚かされることばかりだ。自称地上最強も、あながち嘘とは思えなくなってくる。

しかし、それも些細《ささい》な誤差だ。もとよりアドレットの始末は時間の問題。一日二日粘ったところで状況は何も変わりはしない。

アドレットを殺した後どうするか。当然次に始末するのはフレミーだ。これも簡単な作業だろう。仲間たちが勝手に殺してくれる。

その後は少し難しくなる。誰か一人に疑いが向けられるようなら、そいつを処刑する。意見が割れるようなら、対立を煽《あお》って殺し合いが起こるよう仕向ける。無理に計画を立てず、臨機《りんき》応変《おうへん》に対応するべきだ。

可能性は低いが、もし自分に疑いが集中したら。その時は逃げの一手だ。六人中二人を殺せるのだから、戦果としては十分だろう。

もしもアドレットが戦いをやめさせて、話し合いで解決する流れにもちこんだらどうするか。始末する順番が変わるだけだ。話し合いの主導権を握り、フレミーを処刑する。それからアドレットを始末すればいい。少々困難は伴《ともな》うが、まあ問題はないだろう。

ある高名な軍略家が言っていた。戦いは始まった時、九割決着はついているのだと。その言葉の正しさを七人目は噛みしめている。

アドレットが神殿に足を踏み入れた時。霧を生みだす罠を、誰にも気づかれずに実行できた時。その時点で決着はついていた。

七人目には、一つだけ懸念《けねん》がある。

アドレットを殺し、フレミーを殺し、どちらも七人目ではなかったとわかった時、六花の勇者たちが浮かべる表情。それを見て、笑いをこらえきれるだろうか。

いまでもほくそ笑みそうになるのを、必死にこらえているというのに。


「フレミー！　神殿に戻れ！　戻ればモーラが嘘をついているとわかる！」

アドレットは森を走りながら叫んだ。フレミーは返事を返さない。銃を構えたまま、アドレットを追い続ける。

フレミーは容易に攻撃を仕掛けない。銃とは一発撃ったら、弾を込め直さなければいけない武器だ。連射は不可能にできている。

「だから何？」

喋りながらフレミーはアドレットを狙う。

「モーラは嘘をついているかもしれない。だけどあなたが偽者であることに変わりはない」

「なぜそう思うんだ、俺は」

振り向いて叫ぼうとした瞬間、アドレットは身を伏せた。頭上をフレミーの銃弾が通り過ぎた。熱く鋭い風が、アドレットの肌を焦《こ》がした。一発喰《く》らえば、体が千切《ちぎ》れ飛ぶ。

「……外した」

フレミーが弾丸を再装塡する。普通は銃口から火薬と弾丸を入れて、棒で押し固めなければいけないはずだ。しかしフレミーは銃の持ち手のあたりから銃弾を込めている。どんな構造の銃なのか、アドレットには見当もつかない。

「モーラ！　まだ来ないの！　アドレットはここよ！」

フレミーが叫ぶ。モーラはどこまで近づいているのだろう。アドレットは逃げるべき方向もわからず、でたらめに走っている。

もともと足の速さはアドレットの方が上だ。離れればフレミーの視界からは逃れられる。フレミーの姿が見えなくなった時。

「逃さない！」

今度は爆弾が飛んできた。アドレットは木の枝の上に跳躍する。爆発が周囲の木々をなぎ倒す。爆煙の向こうから、二発目、三発目が放物線を描いて飛んでくる。

ナイフを投げて爆弾を迎撃《げいげき》する。風圧と火の粉がアドレットの身を焼く。

逃げることもままならない。根本的な戦力が違いすぎる。大砲を並べた軍船に、小舟一つで戦うようなものだ。

自分は無力だ。アドレットはその事実を、改めて嚙みしめる。武器と呼べるのはちっぽけな剣に毒針、投げナイフに煙幕弾。そしてフレミーのそれとは比べ物にならない、ちんけな爆弾が数個だけ。

だが、それでも地上最強はアドレットだ。アドレットはそう信じる。

周囲一帯、被害などお構いなしに飛んでくる爆弾。そのうちの一発を迎撃し損《そこ》ねる。アドレットは木の枝を蹴って飛んだ。空中で体を丸めて衝撃に耐える。

「やったか、などと安心はしない。敵が肉塊《にくかい》に変わったのを、この目ではっきり見るまでは」

フレミーの追撃《ついげき》を喰らえば終わりだ。フレミーが爆弾を投げる前にアドレットは、激痛を与える毒針を投げた。

「うう！」

当たった。運が良かった。

フレミーの動きが止まった時に、逃げることもできた。しかしあえてアドレットはその場にとどまった。息が切れたこの状態で走ったら、頭に血が回らない。考えなければ生き残れない。

今何をするべきか。霧を生み出した手段を暴《あば》くことか。ハンスに助けをもとめることか。どちらも違う。

フレミーだ。フレミーに信じてもらえなければ、アドレットに勝ち目はない。

逃げない。立ち向かう。自分を信じないフレミーの心に。

「なぜ、俺を偽者だと思った」

煙が晴れていく。アドレットの視界にフレミーの姿が映る。フレミーは右肩に刺さった毒針を抜き、投げ捨てた。

「……その薄汚い口を開かないで」

フレミーの言葉には、怒りがこもっている。なぜだろう。フレミーを怒らせるようなことは言っていない。同時にアドレットは、フレミーを理解するチャンスだと思う。怒りの理由を探りだせば、心変わりをさせる方法が見つかる。

「聞かれたことに答えろフレミー！」

アドレットはあえて語気を荒らげる。なだめるような言葉は逆効果だ。

「本性が見えたわね。卑劣な詐欺師《さぎし》の本性が」

「答えろと言っている」

「私には見えるからよ。あなたの言葉の裏にある汚い本音。聞こえのいい言葉を並べて、騙そうとする思惑が」

「俺は本心から言った！　お前には何も見えていない！」

フレミーはアドレットを睨みながら、巨大な爆弾を形成していく。アドレットの周囲一帯を吹き飛ばし、跡形《あとかた》もなくするつもりだろう。逃げたくなる気持ちをこらえながら、アドレットはとどまる。

「嘘つきはいつも同じことを言うわ。君を信じる。君を守る。君のことを思っている」

その時、アドレットは見た。フレミーの目にかすかに浮かぶ涙を。

「二度と騙されない。誰かが私を守るなんて、都合のいいことは考えない。一人で戦い、一人で生き、一人で死ぬ」

「……フレミー」

「私は知っているわ。この身で、この肌で痛感した！　誰かを信じて裏切られるより、誰も信じない方がいいってことを！」

そう叫びながらフレミーは爆弾を投げた。迫りくる爆弾を見ながら、アドレットは思った。

フレミーの過去、愛する人に裏切られたその時のことを。

フレミーは人を信じないのではない。信じないと、心に強く決めたのだ。もう二度と裏切られないために。裏を返せば、彼女の心には誰かを信じたいという欲求がある。

アドレットは背後に跳躍した。そして自分の足元に爆弾を叩きつけた。煙幕弾や催涙弾ではない。殺すための爆弾だ。

背後に跳躍しても間に合わない。避けるには爆風で、自分自身を吹き飛ばすしか方法はない。

フレミーの爆弾をかろうじて回避した。全身の火傷《やけど》と引き換えに、粉々《こなごな》に消し飛ぶのを防いだ。

「フレミー！　仕留めたか！」

その時アドレットの背後で声がした。

「モーラ！」

アドレットとフレミーは同時に叫ぶ。モーラが猛烈な勢いでアドレットに突進してくる。

「爆弾を使うな！　銃で援護しろ！　アドレットはわたしが殺す！」

フレミーが新たに生み出した爆弾を捨て、銃を構える。鉄甲をはめた拳に必殺の意思を込めて、モーラが迫ってくる。

アドレットは立ち上がった。フレミーに背中を向け、一直線にモーラに向かって走る。モーラの拳が迫る間際《まぎわ》。アドレットは身をかがめた。同時にフレミーが銃弾を放った。アドレットはこの時全くの無防備。フレミーの銃弾を防ぐ方法はない。

「！」

しかしアドレットは生き延びた。銃弾は甲高《かんだか》い音を立てて弾《はじ》かれた。防いだのはアドレットではない。

モーラだった。

「……モーラ。なぜ防いだの」

「落ち着くのだ。よく見ろ、フレミー」

アドレットはモーラの足元に這《は》いつくばっていた。剣を捨て、両手を差し出し、開いた掌を上に向けていた。恭順《きょうじゅん》の姿勢だった。

フレミーが銃を下ろした。モーラが見下げ果てた顔で言った。

「ようやく、降伏《こうふく》したか。しかし遅すぎたわ。命があるとは思うな」

「……こちらも一人削《けず》られているものね」

「だがその前に洗いざらい話してもらおう。お前の計画と、その背後にいる者を」

アドレットは顔を上げて尋ねた。

「ハンスは無事か」

　アドレットは一つ恐れていた。モーラとチャモが協力し、ハンスを本当に半殺しにしたかもしれないと。モーラの表情がかすかに変化した。その動揺から無事であることを確信した。

「何を言っている。お前が傷を負わせたのだろう」

「……無事ならそれでいい」

　アドレットは恭順の姿勢を崩さない。モーラの拳はアドレットの頭上にある。振り下ろせば、すぐにアドレットの頭を粉々にできる場所だ。

「では話せ。お前が魔神に味方した理由。偽の紋章を手に入れた経緯《いきさつ》」

「あいにくだがそれは話せない。俺が話せるのは一つだけ」

「ならば死ね」

　モーラが拳を上げた瞬間、アドレットは叫んだ。

「これから、フレミーの真《しん》を証明する！」

　驚愕の表情を浮かべて、モーラは拳を止めた。そして視線をフレミーの方へ向けた。後ろが見えないアドレットには、フレミーの表情はわからない。

「聞くつもりはあるか。ないと言っても聞かせるがな」

　モーラは何も答えない。代わりにフレミーが言った。

「………どういうこと」

　聞くつもりだな、とアドレットは思った。そして喋り続ける。

「一つ前提がある。結界を作動させたのは、六花の紋章を持って現れた七人のうちの誰かだ。

それ以外の人間が、神殿に立ち入った事実はない。時間がない。その根拠は省《はぶ》く」

「………貴様が偽者なのだ。それで証明は十分だろう」

モーラの言葉には、明らかな動揺が見える。アドレットはあえて無視する。

「武器を出すわけではない。攻撃せず、黙って見ていろ」

そう言ってアドレットは、左手でベルトの小袋を探った。そして小さな鉄の瓶《びん》を取り出し、自分の隣に置いた。

「これは俺の師匠が作り出した薬。貴重品だ。大事に使え」

「……お前の師匠？　まさか……」

モーラが口ごもる。アトロのことを知っているのだろうか。それについて今は確かめている余裕がない。

「この薬は凶魔の痕跡を見つけ出すためのものだ。凶魔の体で生成される特殊な分泌物《ぶんぴつぶつ》に反応し、色を変える」

「………？」

怪訝《けげん》な表情を浮かべるモーラ。アドレットは振り向かずに言う。

「フレミー。一つ銃弾をよこせ。俺の隣に投げろ」

アドレットの横に、銃弾が転がってきた。フレミーは話を聞きたがっている。まだほんのわずかでも、アドレットが偽者ではないかもしれないと思っているのだ。

アドレットは身を伏せたまま、片手で小瓶《こびん》の栓《せん》を開ける。中の薬を銃弾に吹きかける。銃弾は赤く変色し、三十秒ほどで元に戻った。

「罠だと思うか？　思うなら、じっくり検証するといい。これが間違いなく、凶魔の痕跡を見つける薬だとわかるだろう」

「何を考えておる、貴様」

モーラがうめくように言う。

「俺は結界を作動させる祭壇に、この薬を吹きかけた。祭壇は変色しなかった。このことはハンスも確認している。そしてこの薬はフレミーにも反応する」

「………アドレット」

フレミーが何かを言いかけてやめた。

「フレミーは、一度も祭壇に触っていない。これが、彼女が真である証明、結界を作動させてないことの証明だ」

これで、フレミーが偽者ではないと証明できた。七人目がどんな罠を仕掛けようとも、フレミーに濡れ衣が着せられることはないはずだ。もし着せようとしても、ハンスが守ってくれるだろう。

モーラから逃げきれた可能性はあった。しかしアドレットは、フレミーを守ることを選択した。その結果、おそらくアドレットは死ぬだろう。だが後悔はしていない。やるべきことを、全力でやったのだから。

「モーラ。お前が七人目だとしたら、ざまあみろだ。俺はお前の策をつぶしてやったぞ。フレミーに濡れ衣を着せて、始末しようという策をな」

「フレミー。騙されるでない。妙なことを考えるな」

モーラが言った。

「フレミー。俺が死んだあとは、お前が七人目を見つけ出せ。ハンスは信頼できる男だ。あいつと協力しろ」

「騙されるなフレミー。お前にもわかっているだろう。この男はずっと、お前を籠絡《ろうらく》しようとしていた。巧言令色《こうげんれいしょく》を並べ立て、お前の信頼を得ようとしていた。これもその一環《いっかん》に過ぎん」

モーラが言いきかせる。フレミーの返事は帰ってこない。

「アドレットよ」

モーラが拳を握り、構えた。

「たいした男だ、お前は。わたしすら一瞬だけ、お前が本物かもしれないと思った」

「殺すな。後悔するぞモーラ。もしもお前が本物なら」

「だからこそだ。だからこそお前が怖い。ここで殺さなければ、誰もがお前を信じてしまう！」

アドレットは目を閉じた。モーラの攻撃はかわせない。もうこれでできることはない。

風切《かざき》り音を立てて、拳が振り下ろされる。その時、もう一つの音が空気を切り裂く。甲高い金属音が響いた。

「馬鹿が！」

モーラが叫んだ。アドレットは目を開けて、後ろを振り返った。フレミーが構える銃から、白煙が立ち上っていた。

　銃弾が、モーラの鉄甲を弾き飛ばしたのだ。

「……………アドレット。あなたのことが出会った時から嫌いだった」

　フレミーの表情は冷たい。しかしその目から、涙が一滴流れ落ちた。

「あなたのことを、信じそうになる自分が嫌いだった」

「やめろフレミー。騙されるな！」

「今も嫌いよ。話せば話すほど嫌いになる。私はあなたの言うことを信じてしまう。もう二度と、誰のことも信じないと誓《ちか》ったのに」

「フレミー！」

　もう一度拳を振り上げるモーラ。しかしアドレットは身を翻《ひるがえ》し、攻撃を避ける。

「もういい！　一人で倒すまでだ！」

　アドレットが剣を拾い、立ち上がる。戦況を覆《くつがえ》されたモーラは、なおもアドレットを狙う。小さな爆弾を投げながら、フレミーが叫ぶ。

「逃げてアドレット！」

　走りながらアドレットは思った。やっと、やっとフレミーと解り合えた。だがそれでもまだ勝利は遠い。霧を発生させた方法を、暴《あば》かなければならないのだ。

五章
解明の時

「逃がさんぞ！」

迫りくる小型爆弾を無視し、モーラが走る。アドレットは打ち下ろされる拳《こぶし》を避《よ》ける。拳が地面に突き刺さると、隕石《いんせき》でも落ちたような大穴ができた。彼女も半端な相手ではない。

「ふん！」

モーラが木の根元を摑《つか》んで引っ張った。木が一本、根ごと引きずり出される。それはそのまま、巨大な棍棒《こんぼう》と化してアドレットを襲《おそ》う。

「危ない！」

しかし、フレミーの銃弾が木の幹をへし折った。

モーラはフレミーを無視して、ひたすらアドレットを狙《ねら》っている。攻撃は執拗《しつよう》で、しかも一撃一撃が即死の威力《いりょく》だ。

モーラの前にフレミーが割って入る。アドレットに言う。

「私が押さえる。アドレットは逃げて」

「だめだ。お前も逃げろ。モーラは危険だ」

モーラが七人目である可能性は低くない。彼女とフレミーを一対一にさせるのは危険だ。

「邪魔じゃフレミー！」

モーラの突進をフレミーが迎撃《げいげき》する。アドレットはモーラを足止めし、二人で逃げる手段を考える。しかしその時、横から迫る殺気に気づく。

「フレミーさん、どいて！」

フレミーが飛びのいた。アドレットも横に転がった。二人がいた場所に、無数の白い刃《やいば》が突き立った。

「……遅いぞ姫」

モーラが呟《つぶや》いた。森の中でナッシェタニアが細剣を構え、笑みを浮かべて立っていた。アドレットはその顔を見て思った。彼女は確かによく笑う少女だった。しかし、今の彼女は何か違う。

「アドレット、わかってる？」

フレミーが言った。銃でモーラを、爆弾でナッシェタニアを狙っている。言おうとしていることはわかる。今の彼女は味方ではないということ。

ナッシェタニアは一撃を加えただけで、なぜか動かない。張り付いたような笑みを浮かべて、じっと立っている。

アドレットはナッシェタニアの背後に、ゴルドフがいることに気づいた。アドレットを観察しながら、攻撃を加える機会を探っている。

「……楽しかったですよ、アドレットさん。あなたと旅をした十日間は」

ナッシェタニアは語りだした。この場が戦場であることも忘れたかのように。

「わたしはいろいろ知っているようで、本当は何も知らなかったのですね。御者《ぎよしや》もメイドも連れず、旅をする楽しさ。初めて知る実戦の怖さ。励《はげ》ましてくれる人が側《そば》にいることの頼もしさ」

ナッシェタニアは喋《しやべ》り続ける。久しぶりに見る、穏《おだ》やかな表情の彼女だった。七人目の存在を知ってから、彼女はずっと戸惑《とまど》い、怯《おび》え、悩んでいた。なのに今は晴れやかな顔をしている。

「感謝しています。ありがとう」

ぞく、とアドレットの背筋《せすじ》に怖気《おぞけ》が走った。

「お礼は済みましたので、殺しますね」

「………逃げて。機会を見つけたら、全力で。今のナッシェタニアはまともじゃない」

フレミーが小さな声で言った。アドレットと同じように、彼女もナッシェタニアを恐れている。

「聞いてナッシェタニア。ハンスは無事よ。そしてアドレットは敵じゃない。モーラは嘘《うそ》をついているのよ」

フレミーが言った。

「違うぞ姫。敵はアドレット。ハンスは重傷じゃ。フレミーは騙《だま》されているだけじゃ」

モーラが反論する。その声に余裕がない。

「落ち着いてナッシェタニア。誰が七人目かはまだわからない。だけどそれはアドレットじゃない」

「口車に乗ってはならぬ。アドレットの嘘は巧妙じゃ」

フレミーとモーラが口々に説得を試《こころ》みる。アドレットは黙って、ナッシェタニアの様子を見続ける。

戦いたくない。アドレットは傷ついている。そして疲れ果てている。ハンスにつけられた斬《き》り傷が、また疼《うず》き始める。フレミーとの戦いで追った火傷《やけど》が痛む。ナッシェタニアと戦う体力は残っていない。

「ゴルドフ、聞いているわね。まだ手を出さないで」

返ってきたのは、ある意味で最も望まない反応。

「気をつけてね。フレミーさんが何をするかわからないわ」

無視だった。ナッシェタニアは、一切の言葉を無視していた。

モーラがほくそ笑み、フレミーが説得を諦《あきら》めた。アドレットもまた、戦う覚悟を決める。

いきなり襲いかかってくるかと思った。しかしナッシェタニアは、笑いながらアドレットを見つめるだけだった。モーラはナッシェタニアが動かないことに戸惑っている。

フレミーが振り向いて話しかける。

「アドレット、どうするの」

答えを返せない。ハンスと合流して、彼が無事だということがわかれば、ナッシェタニアは考え直す。だが本当に無事だろうか。モーラが七人目なら、チャモが七人目なら。あるいは七人目が別の罠《わな》を用意していたら。

「何も思いつかないの？」

「神殿に向かう。ハンスが無事なら、そこで合流しよう」

「無事ではなかったら……」

「考えている余裕はない」

もう一つ、方法はある。今ここでアドレットの無実を証明することだ。七人目の策略の全《すべ》てを明かせば、戦いは終わる。

だが、今のアドレットには霧《きり》を発生させる方法が思い浮かばない。

考えろ、とアドレットは思う。あとたった一つだけ。その方法を立証すれば、立証できなくても説得力のある主張ができれば、戦わずに済むのだ。

「……私も考える。でも……見当もつかないわ」

フレミーが悔《くや》しそうに言う。彼女を責めるわけにはいかない。思いつかないのはアドレットも同じだ。

「アドレットさん。わたしは待っているのですが」

突然ナッシェタニアが言った。その場に不似合いなほど、明るい声だった。

「……何を」

「懺悔《ざんげ》」

細剣の先をアドレットに向けながら言った。

「わたしは知っていますよ。悪いことをした人が捕まると、死ぬ前に懺悔をするのでしょう？　たしかメイド長がそう言っていましたよ」

モーラが呆《あき》れたような声で言う。

「……姫。あなたは少々世間《せけん》知らずだ。懺悔は誰もかれもがするものではない」

「そうなのですか」

ナッシェタニアがきょとんとする。そして首をかしげながらしばし考えた。

「では殺してもいいのですね」

次の瞬間、アドレットの周囲に刃が生《は》えた。

「！」

避けきれなかった。アドレットの肩が切り裂かれた。あまりに鋭い一撃に、痛みすら感じなかった。

じっと待っていたかと思えば、なんの躊躇《ちゅうちょ》もない必殺の攻撃。ナッシェタニアの動きが読めない。何をしてくるか想像ができない。

「来たわ！」

フレミーが森の中に銃弾を放つ。槍《やり》を構えて突進してくるゴルドフを迎撃する。ゴルドフの鎧《よろい》に銃弾が当たり、体が後ろに吹き飛んだ。しかし、着地した次の瞬間には、再び突撃を開始する。

「あの鎧は何？」

フレミーが驚愕《きょうがく》する。鎧も特別だが、それ以上にゴルドフが特別だ。フレミーの銃なら鎧の上からでもダメージを与えられる。

繰り出される槍の一撃。アドレットとフレミーは左右に分かれて飛ぶ。それに乗じてモーラがフレミーに摑みかかる。ナッシェタニアの細剣がアドレットの心臓を狙う。

「フレミーはわたしが押さえる！　姫とゴルドフで仕留《しと》めよ！」

モーラが叫んだ。そうはさせじとフレミーがマントの下から小さな爆弾をばらまいた。モーラを爆風で足止めし、煙でゴルドフの視界を奪った。

「……なぜフレミーが邪魔をする」

ゴルドフが呟く。あえて深くは追及せず、アドレット一人に狙いを絞《しぼ》る。だが瞬時に弾丸を装塡《そうてん》したフレミーが、ゴルドフの足を撃った。鎧は貫《つらぬ》けなかったが、ゴルドフはバランスを崩《くず》して倒れる。

「二人押さえてみせる！　アドレットは逃げて！」

アドレットは悩む。フレミーを守ると言った矢先に、置いて一人で逃げるのか。だがアドレットは疲れ果て、武器も残り少ない。もう一対一でも勝ち目が薄いのだ。

「フレミー。必ず守りきる。俺は地上最強の男だ！」

逃げながらアドレットが叫んだ。まだ言っているのかと、フレミーが少しだけ笑った。

アドレットは霧の森を走る。向かう場所は神殿だ。そこにはハンスがいる。

「逃がさない！」

背後からナッシェタニアが迫る。地面から、木の幹から、次々と繰り出される攻撃を避けていく。

向かう先は神殿だ。ナッシェタニアはアドレットが、ハンスを半死半生にしたと思っている。誤解が解ければ、戦いは避けられるはずだ。

背後に煙幕《えんまく》弾を放ち、ナッシェタニアの視界をふさぐ。激痛の毒針を投げ、足止めする。残り少ない秘密道具を、全て使いきるつもりだった。ともかく神殿までたどり着けばいい。ハンスに会えばナッシェタニアとの戦いは終わる。

「ゴルドフ！　モーラさん！　何をしているのですか⁉」

ナッシェタニアが背後に向かって叫んだ。しかし返ってくる答えはない。

フレミーは宣言通り、二人を押さえてくれている。これなら逃げ切れると確信する。

すでに、日は沈みかけている。この森に閉じ込められてから、ほぼ丸一日。長い戦いだった。フレミーを抱えたまま五人に追いかけられた。ハンスと戦い、チャモとやり合った。そしてフレミーにまで殺されかけた。そのたびにアドレットは傷ついた。もう、体は限界に近い。

しかし戦いもこれで最後だ。ここを逃げ切れれば、ひとまず休める。ハンスと合流し、ナッシェタニアに戦いをやめさせる。それからハンスにフレミーを助けに行ってもらう。

まだ七人目が誰かはわからない。霧を発生させる方法も不明だ。しかしハンスとフレミーの二人が味方についてくれたのだ。戦いをやめさせ、話し合いに持ち込むことができる。

煙幕弾の連発で、ナッシェタニアは完全にアドレットを見失った。しかしそれで小袋の中の秘密道具はほぼ使いきった。しかし問題はない。神殿はすぐそこだ。アドレットは叫んだ。

「ハンス！」

答えはない。神殿の周囲に人影は見えない。

「ハンス！　いるのか！　いるなら出てこい！」

神殿の中にいるのだろうか、そう思ってアドレットは何度も呼びかける。やはり返事はない。

「どこに行った！　ハンス！　チャモ！　どこに行ったんだ！」

右手の紋章《もんしょう》をアドレットは見た。六枚の花弁は、全てそろっている。六人全員がまだ生存している。ハンスもチャモも生きているはずだ。

だが、どこに行ったのか。七人目の罠にはめられたのか、それともチャモに半死半生《はんしはんしょう》の目にあわされたのか。

「……誰を探しているのですか？　ハンスさんはあなたが倒してしまったのに」

森からゆらりと現れるナッシェタニア。

「なぜだ、どこに行った」

あるいはまさか。七人目はハンスなのか。アドレットがナッシェタニアに殺されるのを、じっと待っているのか。

ナッシェタニアが襲ってくる。アドレットは跳躍《ちょうやく》し、神殿の屋根を走り抜けて、反対側に逃げる。秘密道具を補充している余裕はない。

「待ちなさい！」

逃げなければいけない。しかしどこへ逃げるのか。どうやって逃げるのか。アドレットにはもう秘密道具がない。

ゆっくりと闇《やみ》が落ちてくる森の中を、アドレットは必死に逃げた。しかし傷は深く、疲労は極限に達していた。もはや気力も尽きかけていた。

「そこですか！」

ナッシェタニアは容赦《ようしゃ》なくアドレットを追い詰める。いつまで攻撃をかわしきれるだろうか。もう長くは持たないことはわかっている。

「まだ逃げるのですか！」

ハンスと合流することはもう諦めた。

残された方法はただ一つ。七人目の謎を解き明かすこと。ナッシェタニアに真実を明かし、自分が七人目ではないと証明すること。それだけだ。

だがしかし、アドレットには解《わか》らない。霧を発生させる方法が。その謎を解き明かし、証明しなければナッシェタニアは説得できない。

アドレットは考える。霧を発生させる方法を。霧だ。霧。霧。霧。霧。

思考をめぐらせれば、動きが鈍《にぶ》る。アドレットの脇腹《わきばら》を、ナッシェタニアの刃が貫く。アドレットは倒れ、木の幹にもたれかかる。

「……………やっと捕まえました」

霧の向こうからゆっくりと、ナッシェタニアが近寄ってくる。

「…………ナッシェタニア」

その顔を見ながらアドレットは、旅立った日のことを思い出した。最初に彼女を見た時は驚いたものだ。まさか姫様が、メイドのふりをしてやってくるとは思わなかった。

あの時は、良い仲間ができたと思った。彼女と二人なら、魔神《まじん》も恐れることはないと思った。なぜこんなことに、とアドレットは思う。共に戦うはずの仲間に狙われ、そして命を落としかけている。

「………聞け、ナッシェタニア」

「何をですか？」

「………俺はお前の仲間だ」

ナッシェタニアはくすくすと笑った。そして細剣をアドレットに向ける。刃が伸び、アドレットの耳を貫いた。

「いまさら、何を世迷《よま》い言《ごと》を」

ナッシェタニアは笑っている。しかしその目は害虫を見る目つきだった。

こんな目ができる少女だったのか。出会った時は、朗《ほが》らかで快活な少女に見えた。だが、六花に選ばれるほどの戦士なのだ。心の中に牙《きば》を持っているのは当然だ。

「馬鹿《ばか》な人なのですね。降伏《こうふく》して懺悔をすれば、まだしも楽に死ねますのに」

「懺悔はしねえ。俺は何も悪いことはしちゃいない」

アドレットは言う。ナッシェタニアが聞く耳を持っていないことは解っている。

出会った時はこうじゃなかった。彼女は浮かれてはしゃぎまわっていた。ニンジンを生《なま》で齧《かじ》ったり、遊び半分に刃を飛ばしたりしていた。あの時、何を話していただろう。そう、六花殺《ろっか》しのことだ。まさか六花殺しの張本人が、仲間になるなんて思わなかった。

六花殺し。その言葉を思い出した時、何かが引っかかった。だが閃《ひらめ》きは形にならず、そのまま消えていった。

「無駄ですよ。もうわたしは騙されません。あなたはわたしたちを罠にかけた。わたしたちを欺《あざむ》き、傷つけた。あなたが偽者《にせもの》だということは、もうはっきりとわかっている」

「嘘じゃない。騙されているのはお前だ。敵はお前を利用して、俺を殺そうとしているんだ」

その言葉は、ナッシェタニアの耳に届いてはいない。

「俺は仲間を殺していない。みんなを罠にかけてもいない」

細剣がゆっくりと、アドレットの心臓に向けられた。

防げるだろうか、とアドレットは思った。運がよければ生き残れるだろう。だがアドレットの腕はもう動かない。

防いだところでどうなるのか。次の攻撃かその次の攻撃で死ぬだけだ。痛みと疲労がアドレットから、気力を奪い去っていた。

寒いな、とアドレットは思った。なぜこんなに寒いのだろう。昨日フレミーと旅をしていたころは、あんなにも暖かかったのに。

「先ほども言ったはず。もうあなたには騙されない」

ナッシェタニアが言った。細剣の刃がアドレットの心臓を狙う。アドレットは聞いていなかった。ただ、寒いとだけ思っていた。

「七人目はあなたです」

細剣の刃が伸びた。次の瞬間、アドレットの腕が動いた。両腕を交差させ、刃の前に差し出した。肉が切り裂かれる音がした。アドレットは腕の骨で刃を受け止めていた。左腕の骨は貫かれ、右腕の骨がかろうじて止めていた。

「……寒い？」

アドレットが呟いた。

「……無駄ですよ」

ナッシェタニアが押し込んでくる。だが、アドレットはそれを押し返した。押し返して、横に受け流した。ナッシェタニアがバランスを崩して、たたらを踏んだ。

アドレットは左腕を貫かれたまま立ち上がり、細剣をへし折った。ナッシェタニアは、突然の反撃に戸惑っている。

「すまん！」

叫びながら走った。そして靴底でナッシェタニアの顔面を蹴《け》り飛ばした。剣を手放し、顔を押さえるナッシェタニア。アドレットはさらに一歩踏み込んで、顎《あご》に踵《かかと》を叩《たた》きこんだ。

そしてナッシェタニアに背を向けて駆けだした。その目に気力が戻っていた。

なぜ気づかなかったのかと、アドレットは思う。

答えはアドレットのすぐ側にあった。こんなことに気づかなかった自分が、情けなくなるほど側にあった。

この霧幻結界《むげんけっかい》は、寒いのだ。

「うぐ！　逃がしません！」

アドレットは口で腕に刺さった剣の刃を抜く。ナッシェタニアが後ろから追いかけてくる。だがそれに構わずアドレットは走り続ける。

地中から、空中から刃が襲う。当たらないことを祈り、ただまっすぐに走る。ここでは無実を証明できない。証明するには、走らなければいけない。

「姫！　ご無事ですか！」

遠くからゴルドフの声が聞こえる。霧の中にかすかに、モーラとゴルドフの影が見える。フレミーがモーラに担《かつ》がれているのも見えた。モーラの拘束《こうそく》を解こうともがいている。

アドレットはフレミーの無事を喜んだ。フレミーはよく戦ってくれた。そしてよくぞ生きていてくれた。

後はアドレットが、七人目の謎を解き明かすのみ。

「わたしに構わないで！　アドレットを追って！」

ゴルドフが突撃を仕掛ける。木々をなぎ倒しながら槍《やり》が迫る。アドレットは剣で槍を受け流す。槍の一撃はかわしたものの、ゴルドフの巨体はアドレットを吹き飛ばす。

ありがたいとアドレットは思う。向かってる方向に飛ばしてくれた。アドレットはもう走るのも辛《つら》いのだ。

「逃げて！」

モーラの背中でフレミーが叫ぶ。体をねじり、ほんの少しだけ拘束を解く。そしてゴルドフとナッシェタニアに向かって爆弾を投げる。少しだけ二人の動きが止まる。

アドレットは走る。走って走って走り続ける。

そしてついに。

ゴルドフに追いつかれ、ねじ伏せられた。

「ここまでだ、アドレット」

アドレットが倒れた場所は、神殿から走って十分ほどの場所だった。そこには数十体の凶《きょう》魔《ま》の死体が転がっていた。

昨日、凶魔の爆撃を見たアドレットたちは、四人で神殿に向かって走った。そしてここで凶魔たちの迎撃を受けた。アドレットは凶魔たちを突破して神殿に走り、ナッシェタニアたちは凶魔を殲滅《せんめつ》した。その戦いの場所がここだった。

「ごめんなさい、ゴルドフ。仕留めきれなかったわ」

ナッシェタニアがアドレットのところに駆け寄ってくる。

「何をおっしゃいます。よく追い詰めてくださいました」

抵抗する力のないアドレットを、ゴルドフがさらに強く絞《し》めあげる。

「よくやったぞゴルドフ、殺せ」

フレミーを抱えたまま、モーラが走ってくる。

「だめよ！　やめて！　アドレットお願い逃げて！」

フレミーがモーラの肩で暴れている。

「姫、モーラさん、殺さずに情報を吐かせるべきです。殺してしまったら黒幕がわからなくなります」

「だめだゴルドフ。こやつは吐かぬ。恐ろしくしぶとい男じゃ」

「そうです。ひと思いに殺すべきです」

「放せ！　放せモーラ！」

フレミーはひたすら暴れるが、モーラを振りほどけない。

傍目《はため》には追い込まれたかに見えるアドレット。しかしその顔は笑っていた。なぜなら彼は見たからだ。モーラのさらに後ろから、近づいてくる人影を。

「……………え？」

その姿を見た瞬間、ナッシェタニアの手から細剣が滑り落ちた。

「遅《おせ》えぞ、どこで何してた」

アドレットは言った。ようやく姿を現したハンスと、その後ろを歩くチャモに。

「悪《わり》い。おめえらを探してただ」

ハンスが気まずそうに頭をかく。神殿から動かなければよかったと、彼もわかっているようだ。まあ、責める必要はない。ギリギリのところだが、間に合ったのだから。

「………え？　え？」

ナッシェタニアはしばらく呆然《ぼうぜん》としていた。ゴルドフも言葉を失っていた。ナッシェタニアは剣を拾うことも忘れて、アドレットに駆け寄った。

「そんな……そんな……じゃあ……」

彼女の目から、涙が落ちた。アドレットは苦笑しながら言った。

「ナッシェタニア、お前、本当に強いなあ。ちょっとだけだがきつかったぜ」

「なんて、ことなの」

顔を押さえてナッシェタニアが泣きだした。ゴルドフがフレミーを抱えたままのモーラを睨《にら》む。

「モーラさん、説明してもらうぞ」

その手は槍を握りしめている。モーラは平静を装いながら言った。

「すまぬ。嘘じゃ。しかしこうでもしなければ、アドレットを追い詰めることはできなんだ」

「……モーラさん、あなたは」

ナッシェタニアが怒りを込めてモーラを見つめる。

「なぜ騙したのです⁉」

「アドレットが偽者。それは何も変わらぬ事実じゃ。勝利を得るためならば、手段は問題ではない！」

「違います！　あなたは騙した！　わたしたちを騙したんです！」

涙を浮かべながらモーラに摑みかかるナッシェタニア。ゴルドフがアドレットから離れ、二人に割って入る。フレミーがモーラから逃れ、アドレットに駆け寄ってくる。

フレミーに肩を借りながらアドレットはゆっくりと立ち上がった。

「……なあ」

フレミーに支えられ、よろよろと歩きながらアドレットが言った。小さな声だったが、全員がアドレットに注目した。

「地上最強って何だと思う？」

木の幹に背を預け、地に腰を下ろす。フレミーが懐《ふところ》から針と糸を出し、アドレットの傷を縫《ぬ》い始める。

「力、技《わざ》、知恵、心、そして幸運。全てを備えた者のこと」

仲間たちを見つめながら、アドレットは笑う。

「答えは簡単。地上最強とは俺のことだ。俺以外に誰が、この場所までたどり着ける？」

「な、何を言っている」

モーラが戸惑い、そして焦《あせ》っている。

「そろそろ、いいだろ。七人目を倒しても」

その言葉を聞いて、モーラは愕然《がくぜん》とした表情を浮かべた。ナッシェタニアとゴルドフが、雷《いかずち》に打たれたような顔をした。ハンスがにやりと笑う。フレミーが期待を込めた目でアドレットを見る。そしてハンスがにやりと笑う。チャモは少しだけ驚いていた。

「答えを出すぜ。七人目が仕掛けた罠の全てを暴《あば》きだす」

それからアドレットは、自分の推理《すいり》を明かした。

まずは、ハンスやフレミーに話したこと。ローレン上等兵から聞いた結界の作動手段が嘘であり、七人目はアドレットが扉を開けた後に結界を作動させたこと。説明は途中で何度もつっかえた。フレミーが麻酔《ますい》なしでアドレットの手当てをしているからだ。

熱心に話を聞いているのは、ナッシェタニアとゴルドフの二人だけだった。モーラとチャモは、すでにこの推理を知っているらしい。おそらくハンスが話したのだろう。

前半を話し終えたところで、アドレットは苦痛の吐息《といき》を漏《も》らした。

「にゃあ。手当てを終えた後でも構わねえだよ。それとも代わるだか？」

ハンスが言う。

「ふざけんな。俺の見せ場を奪う気か」

余裕の笑みを浮かべながらアドレットが言う。

「モーラ。話を続けさせていいの？」

フレミーが言った。モーラが額《ひたい》と首筋に、冷たい汗《あせ》をかいている。

「な、何を言っている」

「あなたがもし七人目なら、そろそろ降伏するべき時だと思うわ」

「馬鹿なことを言うな」

モーラがアドレットに言う。

「アドレットよ。その推理は成立しないのだ。霧を生み出す方法などどこにもない。霧を発生させるには、強力な結界が」

まくしたてるモーラを、アドレットは手で制した。言いたいことはすでにわかっている。

「いるんだよ。霧を発生させられる聖者が、この世にたった一人だけ」

「……………馬鹿な」

うめくように言うモーラ。それを見ながらアドレットは、一つ大きく息を吐いた。ハンスには強がってみせたが、喋ることすら相当に辛い。

「モーラ。前に、俺は聖者の力を知らないと言ったな。だが俺はこう言い返すぜ。お前たち聖者は科学の力を知らない。

聖者の力は、科学の力を超えているからな。お前らにとっては、ちんけなものに過ぎないのかもしれないが、科学ってのはすごいもんなんだぜ」

「………科学?」

モーラが首をかしげる。彼女はその言葉の意味すらよくわからないようだ。

「そもそも、霧とは何か知っているか?　空気中の水蒸気が凝固《ぎょうこ》して、細かい粒子《りゅうし》になったものが霧だ。冬に吐く息が白くなるのも、空に雲が浮いているのも、霧と同じ原理だ」

アドレットは説明しながら、師であるアトロ・スパイカーのことを思い出す。

秘密道具を作るため、アドレットはアトロから最先端の科学を教わった。火の燃える原理、毒が作用する原理、気体や液体の運動法則にいたるまで。それらを学んでなかったら、アドレットは答えにたどり着いていなかっただろう。

こんなことを教わって何の役に立つのかと、当時は思ったものだ。

「空気は、気温が高いほど多くの水蒸気を含むことができる。急激に気温が下がれば、空気中の水蒸気は液体に戻り、細かい粒子になって空中を漂うわけだ。ここまではいいか？」

「さっぱりだよ」

チャモが言う。アドレットは苦笑する。

「とりあえず、空気が湿っぽい時に、急に寒くなったら霧が発生する。これだけ理解しろ」

「わかった」

意外と素直にチャモが頷《うなず》く。

「この森の湿度は、常《つね》にかなり高い。海のすぐ側だからな、潮風《しおかぜ》が湿り気を運んでくる。この森で、急激に気温を下げれば一瞬で霧が発生する」

「待て」

モーラが言う。何度も話の腰を折る奴《やつ》だな、とアドレットは思った。

「どうやって気温を急激に下げるというのじゃ。それも〈氷〉の聖者か〈雪〉の聖者が、大規模な結界を張らねば不可能だぞ」

「頭が固いぜモーラ。気温を下げるんじゃねえ。上げるんだ」

モーラはしばし沈黙した。そして、何かに気づいたように顔を上げた。

「実に壮大な策略だぜ。発想の規模が、桁外《けたはず》れだ。まさか俺一人を罠に陥《おとしい》れるために、自然そのものを操《あやつ》るとはな」

「………〈太陽〉の聖者、リウラ」

呟いたのは、フレミーだった。その通り、とアドレットは思った。

アドレットは旅立つ前後、六花殺しの噂《うわさ》を聞いた。弓の達人《たつじん》マトラ、剣士フーデルカ、〈氷〉の聖者アスレイ、そして〈太陽〉の聖者リウラ。名高い戦士たちが、次々と暗殺されたこと。

その話を聞いた時、一つ違和感を覚えた。〈太陽〉の聖者リウラ。強大な力を持つ聖者だが、老齢で戦うことはできないはず。なぜ六花殺しはリウラを殺したのか疑問に思った。

それからアドレットはフレミーと合流した。彼女が六花殺しだと知った時、アドレットはこう尋《たず》ねた。

『リウラも……〈太陽〉の聖者を殺したのもお前か？』

その時フレミーはこう答えた。

『それは知らないわ』

当然のことだ。フレミーが仲間の凶魔に裏切られたのは半年前。それから彼女は六花候補を殺していない。〈太陽〉の聖者リウラが行方《ゆくえ》不明になったのは一カ月と少し前。〈太陽〉の聖者の抹殺《まっさつ》に、彼女は関与《かんよ》していない。

ならば誰が。

「一つ聞くぜ。モーラ。〈太陽〉の聖者リウラの力なら、この付近一帯の気温を上げることは可能か？　可能だろうな。なにしろ全力を出せば、城を一つ焼き尽くす力を持つって評判だ」

「……か、可能だ」

「それは歳《とし》をとった今でも可能だな？」

「リウラは足腰が衰《おとろ》えて、安楽椅子《あんらくいす》から動けなくなっていたわ。でも〈太陽〉の神の力は肉体の衰えとは関係ないわ」

口ごもるモーラの代わりに、フレミーが言った。アドレットは頷いた。そして、推理の核心部分に入る。

「七人目の使った罠について語るぜ。まず七人目とその仲間は、〈太陽〉の聖者リウラをさらい、彼女に協力を強要した。家族を人質にとるとか、そんな方法だろう。リウラは命じられるままに、この付近一帯の気温を上げた。おそらく、一カ月近くの時間をかけてな」

アドレットは仲間たちを見渡す。

「全員覚えているはずだぜ。ここに来た時、妙に暑いと思っただろう？　それがリウラの力だ」

仲間たちはそれぞれ昨日のことを思い出し、頷いた。

「次に七人目の仲間は砦《とりで》を襲い、中にいた兵士たちを皆殺しにした。そして仲間が兵士のふりをした。もしかしたら、砦の兵士たちはもともと七人目の仲間だったのかもしれないな。どちらかはわからない。そして六花の勇者に霧幻結界の存在を伝え、嘘の作動手段を教え込んだ」

「もしも、わたしたちの誰かが本当の結界の作動手段を知っていたら？」

と、モーラ。

「その時は計画中止だ。しかしその可能性は低かった。この砦を作った王は秘密主義者で、結界の存在すら限られた人間にしか教えていなかったからな」

「……それで」

「七人目は凶魔たちを使って、俺たちを神殿におびき寄せた。そして俺が扉を開けた時に、合図を送った。その合図で近くにいた七人目の仲間の凶魔が〈太陽〉の聖者リウラを殺した」

合図を送ったのは、神殿の近くにいた変形型の凶魔だ。あの笑い声がリウラ抹殺のタイミングを伝えたのだろう。

「リウラが死ねば、彼女が使っていた〈太陽〉の力も消滅する。気温は急激に下がり、霧が生まれる。俺たちはまんまと、結界が作動したものと勘違《かんちが》いする」

あの時アドレットは、背筋が寒くなるような感覚を覚えた。あれは錯覚《さっかく》ではなく、本当に気温が下がっていたのだ。しかし気温の変化が敵の罠だとは、思いもよらなかった。

「その後、七人目は何食わぬ顔で祭壇に近づく。俺たちが混乱しているどさくさにまぎれて、本当に結界を作動させる。あとは説明の必要はないな。俺が疑われ、七人目だと断定されるのをじっと待てばいい」

「待て！　何の証拠がある！　全ては憶測《おくそく》にすぎない！」

「話はまだ途中だぜ」

すでにフレミーの治療は終わっていた。アドレットは立ち上がろうとする。しかしそれをハンスが止めた。

「おらに任せな。おめえは説明だけしてりゃいいだよ」

アドレットは木の幹を背にしゃがみ込む。ハンスは周囲に転がる凶魔の死体を、一つ一つ探っていく。

「さて最後の問題だ。七人目の仲間はリウラの死体をどこに隠したか。リウラが殺された場所は、神殿からそう遠くじゃない。なぜなら合図になる凶魔の声が届く距離だからだ。

死体を抱えてうろつくわけにはいかない。モーラやハンス、チャモと遭遇《そうぐう》する可能性があった。地面に埋めても、やはり発見される恐れがある。なぜならこっちにはチャモがいる」

チャモの能力は、腹の中の凶魔たちを操ることだ。ミミズやトカゲの凶魔に地面を調べられたら、死体を見つけられるかもしれない。

「広い森の中とはいえ、隠せる場所は少ない。いや、たった一つしか存在しない」

「にゃあ。見つけただよ」

そのときハンスが、一匹の凶魔を指して言った。体長五メートルほどのワニに似た姿の凶魔だ。よく見なければわからないが、その腹はかすかに膨《ふく》れている。

「ハンス。切ってくれ」

アドレットは唾《つば》を飲み込んだ。運命の時が来た。アドレットの無実を証明する、唯一《ゆいいつ》の証拠がそこにある。推理は、正しかったのかどうか、この凶魔の腹を裂けばわかる。

「死体を隠せるのは、凶魔の死体の中だけだ」

ハンスが剣を抜き、ワニの腹を切り裂いた。その中から、凶魔の胃液にまみれた老婆の死体が転がりでた。

「確認するだよ、モーラ。この婆さんは、〈太陽〉の聖者リウラで間違いはないだな」

ハンスが言った。モーラが恐る恐る老婆に近づき、そしてへたり込んだ。

「………リウラ様じゃ。このお方が、リウラ様じゃ」

アドレットは安堵《あんど》の息をついた。ハンスが言葉を引き継ぐ。

「さて、まだアドレットが偽者だと思う奴はいるかにゃ？　もしいるなら、何でこの婆さんはここで死んでるか説明してほしいだにゃあ」

誰もいるはずがないと思った。だがモーラが立ち上がって言った。

「これすらも罠だ！　アドレットが自分の真《しん》を主張するために、あらかじめ用意いておいたのだ！」

モーラはなおもアドレットが偽者だと主張する。しかし彼女の意見を聞く者はいない。

「もしそうなら、アドレットはとっくの昔にこの推理を披露《ひろう》しているわ。ここにたどり着くまでに、何度死にかけたと思っているの？」

「そ、それは………」

モーラはうつむき、さらに反論を考え続ける。すでに、アドレットの真を疑っているのは彼女一人だ。形勢は逆転している。追い詰められているのは七人目。

そしてモーラがうめくように言った。

「………わたしが間違えていた。アドレットは、偽者ではなかった」

アドレットは痛みをこらえながら息を吐いた。体から力が抜け、木の幹を背中が滑った。拳でも突き上げてやろうかと思ったが、そんな気分にはなれなかった。

「最初から、言ってた通りじゃねえか。俺は七人目じゃねえってな」

薄氷《はくひょう》の勝利だった。リウラの死体を隠した場所が、ここである確信はなかった。奇をてらわず地面に埋めたか、結界の外で殺した可能性もあった。最後の最後は運任せだった。

しかしそれでも勝った。七人目の策を暴き切った。

どうだとアドレットは思う。俺以外の一体誰が、ここまでたどり着けるというんだ。

「ねえ、お婆ちゃんを殺したのは誰なの？」

と、チャモが言った。

「そのワニ型の凶魔だろうな。リウラを殺して食い、ここで死んだんだ」

「待て。それより、七人目はいったい誰だ!?」

モーラが叫んだ。彼女の言葉に、全員が沈黙で答えた。

アドレットにもまだ、七人目が誰かはわかっていない。罠の全容を暴くことはできた。だが七人目の正体については、証拠を得ることができていない。

しかし、もはや議論の必要はないように思える。

「モーラさん。今の立場、わかっていますか？」

ナッシェタニアが言った。その言葉には静かな怒りがこもっていた。落とした剣を拾い、モーラに向けた。

「フレミーさん。アドレットさんから離れないでください。ゴルドフ、モーラさんを逃がさないで」

モーラが後ずさりしながら叫ぶ。

「待て、姫。わたしではない。何の証拠があるというのだ」

「………証拠は確かにありません。ですが、あなた以外誰がいると？　まさか、フレミーさんが偽者だとでも言うつもりですか？」

止めるべきだろうか、とアドレットは思う。証拠はない。だがモーラの他に誰がいるのか。フレミーは偽者ではないと確信している。ナッシェタニアもそうだ。ハンスは七人目の策略を暴くことに協力してくれた。チャモはもともと疑っていない。ゴルドフも、これほど忠実な男が裏切っていたとはとても思えない。

間違いない、モーラだ。そう思った時、チャモが言った。

「おばちゃんじゃないよ」

全員の目が、チャモに向けられた。

「チャモね、こんなもの持ってるんだよ」

そう言ってシャツをめくってお腹を見せた。ベルトに一枚の石板が挟《はさ》まっていた。

アドレットにはそれが何かわからない。

「チャモね、モーラおばちゃんが出て行ったあと、神殿の床をぶち抜いて、その下を掘ってみたんだ。そうしたら大きな箱があったんだ。中にはね、宝剣《ほうけん》と石板が入ってたの」

チャモの説明を、ハンスが引き継ぐ。

「この結界を作った奴は、えらく用意のいい奴だべ。結界を作動させる祭壇の、予備を作っておいただな。そうとう深いところに埋まってたから、掘り出すのに苦労しただよ。アドレット、おめえ神殿に入らなかっただか？　床に大穴あいていただろ」

アドレットは首を横に振った。ナッシェタニアに追われ、それどころではなかった。

「えへへ、チャモが見つけたんだよ」

「まあ、地下に何かあるかもって、閃《ひらめ》いたのはおらだけどな」

「でも見つけたのはチャモだけどね」

「考えたのはおらだけどな。にゃあ」

「手柄《てがら》争いは後にしてくれ。その石板に何が書いてあった？」

アドレットが聞く。ハンスとチャモが、同時ににやりと笑った。

「石板は二枚あっただよ。一枚は祭壇にあるのと同じものだべ。んでもう一枚には、こう書いてあっただ。神言《しんごん》じゃなくて、おらにも読める言葉だよ」

その時全員がハンスに注目していた。だから、誰も気づかなかった。七人の中に一人、表情を変えた者がいることを。

「もう一度結界を発動させるには、宝剣と壊れた石板を取り除いたのち、作動の手順を繰り返すべし。すなわち宝剣を握って血を伝わらせ、所定《しょてい》の言葉とともに石板を壊すのだ」

「………え？」

ゴルドフが声を上げた。彼が発したとは思えない、間抜《まぬ》けな声だった。

アドレットも耳を疑った。次に記憶を疑った。最後にその石板の真偽《しんぎ》を疑った。

なぜなら覚えているからだ。アドレットたちが神殿に足を踏み入れてからのことを。チャモがやってくる前のことを。

「にゃ？　さあて石板を壊したのは誰かにゃあ。おらは知らんのだよ」

「チャモが来た時にはもう石板は壊れていたね。壊したのは誰かな？」

アドレットは記憶を探る。

『結界は、作動してます。信じられません。誰がやったんですか』

『わからねえ。悪いが、何が起きたのか全くわからねえ』

あの時、アドレットはそう言って首を横に振った。

『ともかく、結界を解除しましょう。失礼』

最初に手を触れたのはゴルドフだった。宝剣を引き抜き、結界を解除させようとした。

『ちょっと見せてくれ。先代の六花の勇者が、似たような結界を作ったことがあった。その時は確か、こうやって結界を解除したはずだ』

次に手を触れたのはアドレットだ。剣を刺し直して血を伝わらせ、結界の解除を試みた。

そしてその後に。

『結界の解除です！　結界を解きなさい！　止まりなさい！　霧を止めて！　わたしが結界の主《あるじ》になるわ！』

ナッシェタニアが剣を摑んだ。様々な呪文《じゅもん》を口にして、ついにしびれを切らして台座や石板を殴りつけた。

あの時確かに、石板が割れた。

「よかったね、モーラおばちゃん。殺されるところだったよ」

「……………呑み込めん、どういうことなのだ」

チャモがモーラに微笑《ほほえ》みかける。状況についていけないモーラはうろたえるばかりだ。

「アドレット、おめえは見ていただろ？　石板を割ったのは誰だ？」

ハンスが聞くが、アドレットには答えられない。

「にゃあ。フレミーは知ってるべか？」

代わりにハンスがフレミーに聞く。フレミーはためらいなく答えた。

「………ナッシェタニアよ」

ナッシェタニアは、怯《おび》えた表情で後ずさりをした。言葉を失っていた。小さく首を横に振り、無実を必死に訴えていた。

「あの時石板は………で、ですが結界を作動させるつもりなんて」

「姫さんか。びっくりだな。ゴルドフの方だと思っていたがにゃあ」

ハンスが剣を抜く。チャモも猫じゃらしを口元に当てた。ゴルドフがナッシェタニアの前に立ちはだかり、二人を押しとどめる。

何かの罠だ。そうでなければ何かの間違いだ。彼女が犯人のはずがない。

そう思いながら、彼女と過ごした日々の記憶を探る。

ナッシェタニアに怪《あや》しいそぶりなどなかった。メイドのふりをして牢獄《ろうごく》を訪ねてきた時。六花の勇者に選ばれて、二人で旅立った時。襲われていた村人を助けた時。一度離脱し、再度合流した時。フレミーを敵だとみなし、戦いになった時。

そして爆撃された神殿に向かう時。

「………あ」

アドレットの口から、悲鳴のような声が漏れた。

神殿に向かう途中、四人は凶魔たちに足止めされた。乱戦の中、ナッシェタニアが言った。

『アドレットさん。神殿に向かってください。ここはわたしたちが引き受けます！』

なぜ気づかなかったのだろう。この罠には重大な前提条件がある。それは六花の勇者の誰かが一人で神殿の前にたどり着くことだ。ナッシェタニアのあの一言が、アドレットを動かした。

そして神殿に向かったアドレットは、七人目の罠にかけられた。

「一難去ってまた一難か。ご安心ください、姫は私が守ります」

ゴルドフが全身から殺気を放つ。その背中でナッシェタニアを守る。

「姫が？　まさか……」

モーラは何もできず、うろたえている。

ハンスとチャモが、じりじりとナッシェタニアに迫る。フレミーが銃を抜き、身構える。ナッシェタニアが剣を抜きながら、切実な目で、アドレットを見つめる。

「アドレットさん、何か言ってください。わたしは七人目ではありません」

違う、彼女は偽者ではない。そうアドレットは言おうとした。しかし口をついて出たのは、別の言葉だった。

「まさか、そうなのか、ナッシェタニア」

「……………アドレットさん」

アドレットの言葉を聞いた時、突然ナッシェタニアの表情が変わった。怯えて助けを求めていた彼女が、気の抜けたような無表情に変わった。

そしてナッシェタニアはにっこりと笑った。出会った時と同じような、気品のある明るい笑顔だった。

「リザイン」

ナッシェタニアが言った。

「……………え？」

アドレットが聞き返す。ナッシェタニアは抜いていた剣を収め、両手を広げて言った。

「わかりませんか？　リザインです。降伏するという意味です」

誰もが言葉を発せなかった。誰もが動けなくなっていた。

その表情に、そのあっけらかんとした言い方に、全員が虚《きよ》を衝《つ》かれた。ただナッシェタニアを見つめることしかできなかった。

「……………姫。何をおっしゃっているのです」

「だからゴルドフ。わたしが七人目だと言ってるの」

凍《こお》りついたように動かなくなったゴルドフの肩を、ナッシェタニアがぽんぽんと叩いた。お疲れ様、と言っているような態度だった。

「ごめんなさいね」

そう言ってナッシェタニアはゴルドフの横を通り過ぎ、場の中央に立った。

「もう少し粘《ねば》れたかもしれません。でもアドレットさんがこの様子では、何を言っても無駄だったでしょうね」

そして彼女は全員を見渡して言う。

「不覚でした。予備の祭具《さいぐ》があることはわかっていましたが、そこに結界の作動手段が書かれていたとは。下調べが不十分でした。

しかし一人も倒せないとは……最低でも二人は削《けず》れると思っていたのですが」

ナッシェタニアは冷静だった。悪びれることもなく、謝ることもなく、うろたえることもない。

「敗因《はいいん》は、積極性に欠けたことでしょう。アドレットさんに近づいて不意打ちするか、ゴルドフを仕留めておくか、他にいろいろ戦い方はあったのに、全て見逃してしまいました。何しろ途中まで、あまりにも上手《うま》くいっていましたからね」

彼女の言葉は、耳には入っていたが頭には入ってこなかった。

「ハンスさん。たぶんあなたが一番やっかいな敵になると考えていました。あなたに濡《ぬ》れ衣《ぎぬ》を着せて殺す方法をいくつか考えていたのですが……無駄になりましたね。残念です。まあ、あなたが一番の強敵という予想だけは当たっていました。あなたさえいなければわたしは負けていませんでしたから」

ナッシェタニアは笑いながら全員を見渡す。

「どうしました？　皆さん黙り込んでしまって」

アドレットはその表情を見た時、やはりナッシェタニアは敵ではないのかもしれないと思った。そう思わせるほどに、彼女は堂々としていた。彼女が自分を罠にはめたことすらも、正しいことだったのかもしれないと思ってしまった。

「………な、」

絞り出すように声を出したのはモーラだ。

「なぜ、我らを殺そうと、いや、本当に殺すつもりだったので………魔神に味方をして、世界を滅ぼすつもりで………」

驚きのあまり、モーラはまともに喋《しゃべ》れていない。その様子を見ながら、ナッシェタニアは表情を少し曇《くも》らせた。

「本当は、こんなことをする必要はなかったのかもしれませんね。全てを明かして協力を求めるべきだったのかもしれません。今となっては意味のないことですが」

その時ゴルドフが、ナッシェタニアの足元にひざまずいた。

「姫！　教えてください！　一体何をしようとしているのです！　私はあなたについてゆきます！」

ナッシェタニアはゴルドフを見下ろして苦笑する。

「実はねゴルドフ。あなたは味方になってくれるかもしれないと思っていたの。もしもあなたが何も言わず、黙って言うことをきいてくれたら、わたしは真相を語っていたわ。けれどあなたは……」

言葉を途切らせて、口元に手を当てた。意地悪そうな顔でくすくすと笑う。

「まさかあんなことを言い出すなんて」

ゴルドフと、何かあったのだろうか。だがそんなことはどうでもいい。

「姫、チャモは知りたいんだけどなあ。なんでチャモたちを殺したかったの？」

「そうそう、その話でしたね」

ナッシェタニアは胸に手を当てて、真摯《しんし》な声で言った。

「わたしは、本当の平和を望んでいます。魔神も、凶魔も、人間も、争うことなく暮らせる世の中を作りたい。そう思って、今度の計画を実行したのです」

アドレットは何も言えない。そもそも意味が判《わか》らないからだ。

「あなた方に恨《うら》みはありません。ですがわたしには、魔神を復活させる必要がありました。そのためにはどうしても六花の勇者を抹殺しなければいけなかったのです」

「意味が、意味が判らない。何を言っているのだ姫は」

モーラが頭を抱える。ナッシェタニアはそれを無視して話し続ける。

「皆さんにお願いがあります。撤退《てったい》してくれませんか？　復活した魔神は、わたしが処理します。人間の世を滅ぼしたりはさせません。なぜならわたしは人間も凶魔も平等に愛しているからです」

「姫、頼む。意味が判るように言ってくれ」

「簡単に申し上げます。わたしの目的は凶魔たちに心を入れ替えさせ、人間と和睦《わぼく》させることなのです」

わけが判らないとアドレットは思った。無茶苦茶なことを言っている。なのに、ナッシェタニアの言葉を聞いてしまう。それはこの場の空気に呑まれているからなのか、それともこれが彼女の持つカリスマ性なのか。

「にゃ、にゃあ。和睦すりゃ、世界が平和になるのか？」

ハンスすら、ナッシェタニアに気圧《けお》されている。

「はい、なります。危険がないとは言いません。そのためには少々の犠牲《ぎせい》は出ます。でも本当に少々の犠牲です」

「……………どれぐらいなの？」

フレミーが聞いた。

「想定では、人間の犠牲は五十万人ほどで済むはずです」

ナッシェタニアは、さも当たり前のように言った。自信に満ちた声だった。

理解できないとアドレットは思った。ナッシェタニアがやろうとしていることも、ナッシェタニアが考えていることも、何も理解できなかった。そこにいるのは愛くるしい姿をした、一匹の怪物だった。

「………ハンス、フレミー、モーラ、チャモ」

アドレットは言った。呆然とする仲間たちに向けて。

「………殺せ！」

その言葉に突き動かされたように。ハンスが剣を抜いて走った。チャモが猫じゃらしを咥《くわ》えて、凶魔を吐きだした。モーラが拳を握り、ナッシェタニアに殴りかかった。

最初に当たったのは、モーラの拳だった。一撃でナッシェタニアの頭が砕《くだ》けた。

だが。

「………やっぱり説得は無理でしたか」

頭の砕けたナッシェタニアが、何事もなかったかのように立っていた。その体が、鎧や服ごと崩れ、泥《どろ》のようなものに変化した。

「残念です」

声はかつてナッシェタニアだった泥ではなく、周囲の森から聞こえた。

「さよなら、ゴルドフ。一緒に行けなくて残念だったわ」

「これ、は？」

「凶魔の技《わざ》だ。しかも、相当に上級の凶魔の」

と、アドレット。

「それとフレミーさん。あなたとなら、解り合えるかもしれないと思っています」

「にゃあ！　まだ近くにいるだよ」

「また会いましょう」

ハンスが声の方向に走りだす。チャモも吐きだした凶魔とともに、ナッシェタニアを追っていく。

「フレミー！　アドレットを頼む！」

モーラが、森の中へと駆けていく。しばし立ちすくんでいたゴルドフも走りだした。アドレットとフレミーの、二人だけが残された。

「………ま、さかな。ナッシェタニア、かよ。信じられねえ」

アドレットがうめいた。七人目の正体が明かされ、気が楽になった途端《とたん》に痛みが襲ってくる。

フレミーが木にもたれかかっていたアドレットの体を、地面に横たえた。

「喋らないでアドレット。あなたは無理をし過ぎている」

「無理すんのは、俺の………特技だぜ」

アドレットは笑った。頭の上にフレミーの顔がある。

「出血が多すぎる。待っていて。少しだけど強壮薬《きょうそうやく》がある」

「ずいぶん、優しくなったな………最初からそうしてくれよ」

「喋らないでと言っているの」

そう言いながら、マントの中を探るフレミー。それを見ながらアドレットは、彼女と出会った時のことを考えた。最初に彼女を見た時、アドレットは彼女を綺麗《きれい》だと思った。そして彼女を、守りたいと思った。何の理屈もなく、そう思った。

凶魔の娘とわかった今も、六花殺しとわかった今も、その気持ちに変わりはない。

「……なあ、フレミー。俺のこと好きか」

マントの中を探る手が止まった。フレミーはアドレットを見つめて言った。

「嫌いよ」

フレミーは目をそらしながら言った。だがそれは、悪い響きではなかった。

「なんでさ」

「あなたといると、生きたくなる」

アドレットはその言葉を聞いて微笑んだ。

お前を死なせない。そう言おうとした。しかし喉《のど》から声が出ず、舌《した》が上手く動かなかった。

「……アドレット！」

視界が、急激に狭《せば》まってきた。フレミーがアドレットの頰《ほお》を叩く。何かを叫んでいるようだが、耳には届いてこない。

「……めよ……ないで……」

よく聞こえない。ひどく眠い。

心配するな、少しだけ目を閉じるだけだ。そう言おうとしたが、もう唇《くちびる》も動かない。

その時アドレットの唇に、柔らかいものが触れた。刺激のある液体が口の中に注ぎこまれる。

液体が、喉を通って胃の中に入っていく。

そしてアドレットの意識は、闇の中に落ちていった。

エピローグ
次なる謎

目を開けるとひどく明るい。朝だった。太陽の光が、アドレットの頬《ほお》を照らしていた。霧《きり》が晴れていた。

「………」

アドレットは周囲を見渡す。そこは神殿の中だった。壊された扉から、日の光が差し込んできている。

「目覚めたか」

日の光とは逆側から声がした。顔を向けると、そこにはモーラがいた。

「フレミーでなくて悪かったな」

皮肉かよ、とアドレットは思った。だがたしかにモーラが隣にいるよりも、フレミーがいた方がうれしかっただろう。

アドレットは自分の体を見た。濃緑色《のうりよくしよく》の湿布《しつぷ》のようなものが、体中に貼《は》られている。フレミーは手当てに、こんなものを使っていなかったと思うが。

「山の精気《せいき》を込めた薬草じゃ。この程度の怪我《けが》なら、二日もあれば回復する」

「………本当か？」

「山の力は癒《いや》しの力じゃ。わたしの能力を信じるがいい」

アドレットは身を起こした。かなり痛むが、たしかに動ける。昨日はもう二度と戦えなくなることも覚悟していた。聖者の力はとんでもないとアドレットは思った。

「アドレット。すまぬ」

モーラが突然、床に両手をついて頭を下げた。

「お前が本物だと気づけなかった。一生の不覚だ。わたしが馬鹿《ばか》な真似《まね》をしたせいでこんな怪我を……」

「過ぎたことはもういい。それより、他のみんなに謝ってくれ」

アドレットはモーラに顔を上げさせる。するとアドレットの足元の方でハンスが言った。

「もう謝っただよ。手をついてだ」

「そうか……ならもういい」

アドレットはまた床に寝そべった。どうやら神殿の中にいるのは、モーラとハンスの二人だけらしい。他の仲間はどうしたのだろう。そしてナッシェタニアは。

「ナッシェタニアは逃がしちまった。すまねえだにゃあ」

ハンスが言った。

「みんなは無事か？」

「もちろんじゃ。チャモとフレミーとゴルドフは外にいる」

アドレットは安堵《あんど》の息を吐く。ともかく皆無事ならそれでいい。あの恐るべき罠《わな》を、誰一人失うことなく乗り切った。充分な戦果だ。

「アドレットよ。もしも、お前がいなかったらと思うとぞっとする。わたしたちはナッシェタニアに騙《だま》されて、何人殺されていたことか」

「これからもどんどん頼りにしろ」

「…………地上最強か、普段なら笑い飛ばすところだが、お前は別じゃ。本当によくやってくれた」

「にゃあにゃあにゃあ」

ハンスが割り込んでくる。

「おらにはねぎらいは言わねえのか？」

「そうだな。骨折りであった」

「にゃあ！　なんだべこの待遇の差は！」

ハンスが不満の声を漏《も》らす。

「おらだって頑張ったべよ。最初にアドレットが無実だって気づいたのはおらだ。二人でチャモだって倒しただよ。チャモを説得して地面の中を探させたのもおらだ」

「わ、わかった。お前もよくやってくれた。ありがとう、感謝するぞ」

「それでいいだよ」

二人のやり取りを見ながらアドレットは思う。ハンスは本当によくやってくれた。ハンスが真実を見抜いてくれたからアドレットは生きている。それに最後にナッシェタニアを追い詰めたのも彼だ。

「ハンス。お前、ナッシェタニアの罠に気づいてただろ？」

「ああ。でも途中までだよ。死体の隠し場所までは思いつかなかっただ」

嘘《うそ》をついている顔ではなかった。アドレットは心の底から彼が敵でなくてよかったと思った。

「ハンス、お前は本当にすごい奴《やつ》だよ。こんなに頼りになる奴、他に見たことがない」

「ん？」

ハンスが急に挙動不審《きょどうふしん》になる。顔を赤らめ、辺《あた》りを見渡し、頭をかく。

「これからもよろしく頼むぜ」

「にゃにゃあ。そんなに褒《ほ》められると照《て》れるべよう」

「なんなのじゃこいつは」

モーラが呟《つぶや》く。アドレットにもよくわからない。

その時、神殿の中にチャモが入ってきた。

「チャモ。ゴルドフの様子はどうであった」

「だめだね、あれは。何話しかけても答えないもん」

チャモが肩をすくめながら言う。アドレットはゴルドフに同情する。忠誠を尽くしていた姫に、無惨《むざん》に裏切られた。まだ若い彼に、耐えられるだろうか。

「置いて行こうよ。あの様子じゃ役に立たないね」

「無理にでも立ち直ってもらわなければ困る。まだ戦いは始まってもいないのだ」

モーラの一言で、アドレットの浮かれ気分が消え去る。その通りだ。目的は魔神《まじん》を倒すこと。まだ自分たちは、魔哭領《まこくりょう》に足を踏み入れてもいないのだ。

アドレットは体を起こし、立ち上がった。

「………あれ？　立てるのアドレット」

「ちょっと、外の空気を吸ってくる」

痛みはあるが、歩くだけなら問題はない。ハンスたちを残して、アドレットは外に出た。

「………」

朝の光を浴びながら、アドレットは塩の柱の間を歩く。柱にもたれかかってうずくまるゴルドフが見える。そっとしておこうと思い、その場を離れた。

探していた人はすぐに見つかった。神殿から少し離れた、森の中にいた。

「……起きたの」

フレミーがそっけなく言った。昨日の様子とは打って変わった、冷たい表情だ。

「ああ」

彼女の隣に立つ。さて、何を話せばいいのか。顔を見ると思い浮かばない。

「残念だったわね。ナッシェタニアが七人目で」

「なんだよそれ」

「気になっていたのでしょう?」

「なんだよその言い方は」

とアドレットは口を尖《とが》らせる。彼女を特別だと感じていたわけではない。それなりに気の合う相手だと思っていたから、残念と言えば残念だが。

「悪いけど、あまり話しかけないで」

フレミーが顔をそむける。その態度にアドレットは戸惑《とまど》う。昨日、あれほど頑張って守ってくれたのはなんだったんだ。

「よくわからないの。あなたとどう話せばいいのか。自分自身とどう向き合えばいいのか」

「……………」

「だから少しだけ、時間が欲しい」

アドレットはため息をつく。

「わかったよ。じゃあ、二つだけ聞きたい」

フレミーは頷《うなず》いた。

「一緒に来てくれるんだな。一人で戦いたいってのは撤回《てっかい》するんだな」

「ええ。もう諦《あきら》めたわ。そう言ってもあなたは聞いてくれないでしょう」

素直じゃないな、とアドレットは思う。

「俺といると、生きたくなる。それは本当か？」

フレミーがうつむきながら赤面した。恨《うら》みがましい目でアドレットを見つめた。そしてほんのわずか頷いた。

「がんばろうぜ。魔神に勝って、全員生き残ろう」

フレミーは頷く。そして、もういいだろうとでも言うようにそっぽを向いた。

その時だった。

「……………？」

アドレットは見た。砦《とりで》の方向から神殿に向かって近づいてくる人影を。

る。

「どうしたのアドレット」

尋《たず》ねてくるフレミー。彼女もすぐに人影に気づく。

近づいてくるのは少女だった。小柄な体を鉄の鎧《よろい》に包み、音を立てて小走りに駆け寄ってくる。

物音に気づいたモーラたちが神殿の中から出てくる。ゴルドフも顔を上げて少女を見る。

「あ、あの、すみませんでした！」

少女は深々と頭を下げた。小さなメガネをかけた、おとなしそうな少女だった。表情は小動物のようにおどおどしている。鈍重《どんじゅう》な鎧が絶望的に似合っていない。

「……ロロニア、か？」

アドレットが言った。少女は顔を上げる。アドレットの姿を認めると、ぱっと表情を明るくした。

「アドくん！　久しぶり！　やっぱり選ばれてたんだね！」

「久しぶり、には、久しぶり、だが」

アドレットが口ごもる。少女はアドレットに握手を求めてきた。アドレットは戸惑いながら、それを受ける。背後でフレミーが呟いた。

「……誰よ、この女」

慌《あわ》ててアドレットの手を放すと、少女は辺りの視線に気づく。そして頭を下げる。

「ご、ごめんなさい！　申し遅れました！」

少女……ロロニアはまた何度も頭を下げた。

「あたしは〈鮮血〉の聖者ロロニア・マンチェッタと申します！　遅れてすみませんでした！」

モーラが声をかけてロロニアの頭を上げさせる。

「ロロニア。なぜここに」

「モーラさん、遅刻して、本当にすみません！　でも合流しようとしたら、霧が出て近寄れなくなってて」

「そういう意味ではないのだが……」

「あの……あたしじゃ、六花《ろっか》の勇者なんて力不足だとはわかってますけど、でもあたし頑張りますから！」

アドレットは息を呑んでいた。背筋《せすじ》が凍《こお》っていた。足元がぐらつくような錯覚《さっかく》すら覚えていた。

「証《あかし》を、見せてくれぬか」

モーラが言った。

「は、はい。これです。六花の勇者の証です」

そう言ってロロニアは鎧の胸元を外して、鎖骨《さこつ》の付近にある紋章《もんしょう》を見せた。それはアドレットが持つものと同じ、他の仲間たちが持つものと同じ、本物の六花の紋章だった。

「あの、すみません。さっきからずっと気になってるんですが」

戦慄《せんりつ》する仲間たちを見渡しながら、ロロニアが言った。

「どうして七人いるんですか？」

ロロニアの問いに、誰も、何も答えなかった。

アドレットは理解した。ナッシェタニアとの戦いは、前哨戦《ぜんしょうせん》に過ぎなかったことを。

本当の戦いは、今ようやく始まったところなのだ。

あとがき

前作『戦う司書』シリーズを読んでいただいた方、お久しぶりです。そうでない皆さま、はじめまして。山形石雄《やまがたいしお》と申します。

『六花の勇者』いかがでしたでしょうか。末永くお付き合いしていただければと思います。

前作の完結から長く間が開いてしまい、多くの方々に心配とご迷惑をかけてしまいました。今後はこのようなことがないようがんばるつもりです。

わりと長い間自分を見失っていたのですが、最近では見失っていようがいまいが、とにかく書くしかないんだろうな、と思うようになりました。

少しは進歩したのでしょうか。それとも退歩しているのでしょうか。

近況報告です。

私は生来、暑さに強く寒さに弱い性質でして、夏になると必ず冷房病に悩まされていました。ですが今年は、電力不足のせいでどこも冷房を控《ひか》えめにしているため、例年よりも健康な日々を過ごしておりました。

ところがこの間、扇風機の当たりすぎで夏風邪《かぜ》をひき、三日もダウンしました。回復した次の日に冷たいシャワーを浴びて風邪をぶりかえし、さらに一日を無駄にしました。

このありえない虚弱体質はどうにかならないものでしょうか。

わりと本気で悩んでいます。


本作の印税《いんぜい》の一部は、福島で放射性物質の除去を行っている市民団体『ふくしま除染委員会』に寄付させていただくつもりです。

わずかな額ではありますが、少しでも復興の助力になれればなによりです。


最後に謝辞《しゃじ》を。イラストを描いていただいた宮城《みやぎ》さん、本当にありがとうございました。担当編集のT氏、今回もご迷惑おかけしました。編集部の皆さま、お世話になりました。

読者の皆さま、またお会いしましょう。

それでは。

山形　石雄

六花の勇者

山形石雄

集英社スーパーダッシュ文庫

2011年8月30日　第1刷発行
2012年2月 6 日　第3刷発行

★定価はカバーに表示してあります

発行者　太田富雄
発行所　株式会社　集英社
〒101-8050　東京都千代田区一ツ橋 2-5-10
03(3239)5263(編集)
03(3230)6393(販売)・03(3230)6080(読者係)
印刷所　株式会社美松堂／中央精版印刷株式会社

ISBN978-4-08-630633-1 C0193